VERBOTS
LEARN 101 WELSH VERBS

BY RORY RYDER

published by:

TSUNAMI
SYSTEMS

www.tsunami-systems.com

Published by
Tsunami Systems, S.L
Plaza Urquinaona 11, 3º 2ª, 08010 Barcelona, Spain.
www.tsunami-systems.com

First Edition Tsunami Systems S.L. 2010

Welsh Version
ISBN - 978-84- 96873-41-4

Illustrated by Andy Garnica

verbotslearn.com

All "VERBOTS Learn" books are protected as Intellectual Property.

The unique teaching method of all "VERBOTS LEARN" books (in any language) is based on these 3 principles and protected by Intellectual Property Laws:
1) Layout of any verb conjugations in any columns and rows in any different colours.
2) Any type of image which whilst describing the "actions" and meaning of a verb include the actual word within each picture.
3) Audio pronunciation in any format to correspond with this unique verb table formula.
Any publishers or persons wishing to contact Tsunami Systems about the Copyright or Intellectual Property Rights of these books should contact:
jstone@tsunami-systems.com

Testimonials from Heads of M.F.L. & Teachers using the books with their classes around the U.K.

Suzi Turner – *Hulme Hall Grammar School* – "An invaluable and motivational learning tool which is bright, focused and easy for pupils to relate to. I think it's an extremely clever idea and I wish I'd thought of it myself - and got it published! Both the pupils & myself loved using it."

Mrs. K. Merino – *North London Collegiate School* – "My students really enjoy the pictures because they are intriguing and amusing and they thought it was excellent for revising for their GCSE Spanish exams."

Maggie Bowen – *Priory Community School* – "An innovative & motivating book that fires the imagination, turning grammar into a non-frightening & enlightening element of learning a language. A much awaited medium that helps to accelerate student's learning & achievement."

Dr. Josep-Lluis González Medina – *Eton College England* – " After a number of years in which educational trends favoured oral fluency over grammatical accuracy, it is encouraging to see a book which goes back to basics and makes learning verbs less daunting and even easy. At the end of the day, verb patterns are fundamental in order to gain linguistic precision and sophistication, and thus should not be regarded as a chore but as necessary elements to achieve competence in any given language. The colour coding in this book makes for quick identification of tenses and the running stories provided by the pictures are an ideal mnemonic device in that they help students visualize each verb. I would heartily recommend this fun verb book for use with pupils in the early stages of learning and for later on in their school careers. It can be used for teaching but also, perhaps more importantly, as a tool for independent study. This is a praiseworthy attempt to make verbs more easily accessible to every schoolboy and girl in the country. "

Susana Boniface - *Kidderminster College* – "Beautifully illustrated, amusing drawings, guaranteed to stay easily in the mind. A very user-friendly book. Well Done!"

Lynda McTier – *Lipson Community College* – "No more boring grammar lessons!!! This book is a great tool for learning verbs through excellent illustrations. A must-have for all language learners."

Christine Ransome – *Bearwood College* – "A real gem of a linguistic tool which will appeal to both the serious scholar and the more casual learner. The entertaining presentation of basic grammar is inspirational, and its simplicity means more retained knowledge, especially amongst dyslexic language scholars."

Tzira Correia – *St Benedict's School, Senior School* – "The book allows students to learn how to conjugate verbs in an enjoyable way. Many verbs used everyday in the target language are mentioned. The colours and pictures play an important role in the learning of the verbs."

S Reynes – *Cheney School* – "It's an ideal way for students who have a visual memory. It's very clear so students can be more independent & use this book with confidence both at home and in class."

reviews

Julie Geib – *Newborough School* – "Verbs are brought to life in this book through skilful use of humorous storytelling. This innovative approach to language learning transforms an often dull and un-inspiring process into one which is refreshing and empowering."

Miss Emma Pullen – *DWR - Y - FELIN Comprehensive* –"A great opportunity for pupils to see at a glance the conjugation of a verb in all its tenses. This book takes the hard toil out of dictionary work, whilst injecting fun in the processes."

Mr W A Jefferson – *Scarborough College*– "A colourful novel resource which captured students' attention; both intriguing the more able and reinforcing learning for all students."

Dr Marianne Ofner – *Whitgift School* – "It is an entertaining way to learn verbs and makes students more independent learners."

Gail Bruce – *Woodhouse Grove School* – "I'm very pleased with the positive way pupils are using this book. It encourages independent work. Well Done!"

Cherly Smedley – *Manchester Academy* – " The verbs are very visually accessible and the most needed tenses are well set out allowing pupils to pin-point the exact ending they need."

Janet Holland – *Moorland School* – "The layout is clear, simple and unfussy, with lively colours and funny illustrations. The page is planned logically, in a memorable and intelligent way. The verbs are also colour coded, with no unnecessary frills."

N Hobbs – *Lychett Minster School* – "A worthwhile initiative and my AS group all said they liked the book. The pictures make the book more colourful and provide help in making the meaning of the infinitive stick."

M McCabe – *Gilbraston* – "Will be an invaluable resource in the learning of tenses. I will also encourage the girls to use it when they have independent studies."

Tesa Judkins – *Canbury School* – "An innovative way of looking at the often tedious task of learning verbs. Clever illustrations are memorable and this is the way forward - visual interest is vital for the modern day pupil."

Rosemary Gomez – *Queens College London* – "The colour tables were a good idea and help the students recall the tenses. The students enjoyed being asked to learn colour tenses and random verbs. Therefore I can say truthfully that the book improved their knowledge of the verbs. Overall a fun departure from the usual verb list."

Dr. Ben Bollig – *University of Westminster* – "A very attractive and lively approach to verb learning. This book is an excellent tool for beginners and makes one of the most difficult aspects of language learning simple and straightforward."

Pamela Davies – *Lingualink Rhyl N.Wales* – "This book has helped in increasing the necessary fun-side of language learning, whilst simplifying the comprehension of the various tenses. Adult students with all levels of learning ability have enjoyed and benefited from this modern, fast-moving book."

introduction

Memory
When learning a language, we often have problems remembering the words; it does not mean we have totally forgotten them. It just means that we can't recall them at that particular moment. This book is designed to help people recall the verbs and their conjugations instantly.

The Research
Research has shown that one of the most effective ways to remember something is by association. The way the verb (keyword) has been hidden in each illustration to act as a retrieval cue stimulates long-term memory. This method is 7 times more effective than passively reading and responding to a list of verbs.

New Approach
Most grammar and verb books relegate the vital task of learning verbs to a black & white world of bewildering tables, leaving the student bored and frustrated. This book is committed to clarifying the importance of this process through stimulating the senses not by dulling them.

Beautiful Illustrations
Each illustration forms a story, an approach beyond conventional verb books. To make the most of this book, spend time with each picture to become familiar with everything that is happening.

Keywords
We have called the infinitive the 'keyword' to refer to its central importance in remembering the 42 ways it can be used. Once you have located the keyword and made the connection with the illustration, you can start to learn each colour-tense.

Colour-Coded Verb Tables

The verb tables are designed to save learners valuable time by focusing their attention and allowing them to make immediate connections between the subject and verb. Making this association clear & simple from the beginning will give you more confidence to start speaking the language.

Independent Learning

VERBOTS LEARN can be used as a self-study book, or it can be used as part of a teacher-led course.

Welsh Language

In Wales you will find many spoken and written forms of Welsh from the formal, traditional and literary forms to informal, contemporary and colloquial forms. There are also two guides, one for North Wales Learners and the other for South Wales Learners. Therefore to avoid any confusion we have only focused on the 7 most important tenses, taught in Welsh schools.

Master the Verbs

Once you are confident with each colour-tense, congratulate yourself because you will have learnt many thousands of verb forms. An achievement that takes some people years to master!

other recomended grammar books

We recommend these other titles by D.Geraint Lewis if you would like to advance your Welsh studies further:

1 85902 138 7

A Check-list of Welsh Verbs is the Welsh equivalent of '1000 French/ Spanish/Italian Verbs Conjugated'. It contains all the verbs included in Geiriadur Gomer i'r Ifanc and is the most comprehensive list of its kind yet to appear. If any of us experience uncertainty while writing a verb form in Welsh, then this comprehensive, user-friendly directory is the source to consult.

1 84323 239 1   1 85902 480 7

If knowing when, or when not, to mutate a word has proved to be a problem in writing Welsh, then this easy-to-use guide should help. In it you will find: a comprehensive alphabetical list of all the words that cause a mutation; a summary of the main rules of mutation; an explanation of the grammatical terms used in the list of rules.

D.Geraint Lewis

For Geraint's expertise, knowledge and advice throughout this book's early and latter stages. He has proved fundamental in producing this long awaited Welsh edition.

Marian Beech Hughes

Senior Editorial Officer / Welsh Books Council

For Marian's constant support from start to finish in always keeping this project on track.

And - **Dewi Morris Jones**

"Tsunami Systems partner exclusively with governments, international educational publishers, distributors and TV networks to provide world class multimedia learning resources. Our unique products use the only multi-sensory approach that teaches key areas of education in a fast, fun and effective way. Using the very latest in cross-platform innovation our products unite learners, enliven the senses and bridge cultural divides throughout the world. Our core values are innovation, education and entertainment"

Rory Ryder Founder and CEO

www.tsunami-systems.com

	Present	Perfect	Imperfect	Past perfect	Past	Future	Conditional
1st sing	Rydw i'n...	Rydw i wedi...	Roeddwn i'n...	Roeddwn i wedi...	Adeiladais i	Bydda i'n...	Baswn i'n...
2nd sing	Rwyt ti'n...	Rwyt ti wedi...	Roeddet ti'n...	Roeddet ti wedi...	Adeiladaist ti	Byddi di'n...	Baset ti'n...
3rd sing	Mae e'n:o'n / hi'n...	Mae e:o / hi wedi...	Roedd e'n:o'n / hi'n...	Roedd e:o / hi wedi...	Adeiladodd e:o/hi	Bydd e'n:o'n / hi'n...	Basai e'n:o'n / hi'n...
1st pl	Rydyn ni'n...	Rydyn ni wedi...	Roedden ni'n...	Roedden ni wedi...	Adeiladon ni	Byddwn ni'n...	Basen ni'n...
2nd pl	Rydych chi'n...	Rydych chi wedi...	Roeddech chi'n...	Roeddech chi wedi...	Adeiladoch chi	Byddwch chi'n...	Basech chi'n...
3rd pl	Maen nhw'n...	Maen nhw wedi...	Roedden nhw'n...	Roedden nhw wedi...	Adeiladon nhw	Byddan nhw'n...	Basen nhw'n...

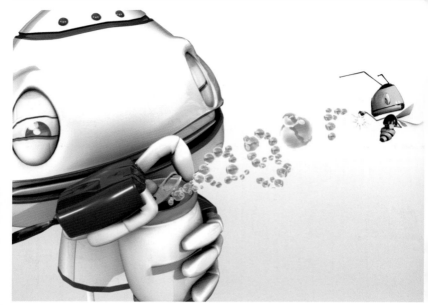

	Present	Perfect	Imperfect	Past perfect	Past	Future	Conditional
1st sing	Rydw i'n...	Rydw i wedi...	Roeddwn i'n...	Roeddwn i wedi...	Agorais i	Bydda i'n...	Baswn i'n...
2nd sing	Rwyt ti'n...	Rwyt ti wedi...	Roeddet ti'n...	Roeddet ti wedi...	Agoraist ti	Byddi di'n...	Baset ti'n...
3rd sing	Mae e'n:o'n / hi'n...	Mae e:o / hi wedi...	Roedd e'n:o'n / hi'n...	Roedd e:o / hi wedi...	Agorodd e:o/hi	Bydd e'n:o'n / hi'n...	Basai e'n:o'n / hi'n...
1st pl	Rydyn ni'n...	Rydyn ni wedi...	Roedden ni'n...	Roedden ni wedi...	Agoron ni	Byddwn ni'n...	Basen ni'n...
2nd pl	Rydych chi'n...	Rydych chi wedi...	Roeddech chi'n...	Roeddech chi wedi...	Agoroch chi	Byddwch chi'n...	Basech chi'n...
3rd pl	Maen nhw'n...	Maen nhw wedi...	Roedden nhw'n...	Roedden nhw wedi...	Agoron nhw	Byddan nhw'n...	Basen nhw'n...

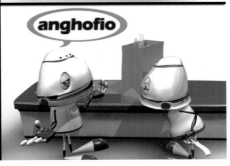

	Present	Perfect	Imperfect	Past perfect	Past	Future	Conditional
1st sing	Rydw i'n...	Rydw i wedi...	Roeddwn i'n...	Roeddwn i wedi...	Anghofiais i	Bydda i'n...	Baswn i'n...
2nd sing	Rwyt ti'n...	Rwyt ti wedi...	Roeddet ti'n...	Roeddet ti wedi...	Anghofiaist ti	Byddi di'n...	Baset ti'n...
3rd sing	Mae e'n:o'n / hi'n...	Mae e:o / hi wedi...	Roedd e'n:o'n / hi'n...	Roedd e:o / hi wedi...	Anghofiodd e:o/hi	Bydd e'n:o'n / hi'n...	Basai e'n:o'n / hi'n...
1st pl	Rydyn ni'n...	Rydyn ni wedi...	Roedden ni'n...	Roedden ni wedi...	Anghofion ni	Byddwn ni'n...	Basen ni'n...
2nd pl	Rydych chi'n...	Rydych chi wedi...	Roeddech chi'n...	Roeddech chi wedi...	Anghofioch chi	Byddwch chi'n...	Basech chi'n...
3rd pl	Maen nhw'n...	Maen nhw wedi...	Roedden nhw'n...	Roedden nhw wedi...	Anghofion nhw	Byddan nhw'n...	Basen nhw'n...

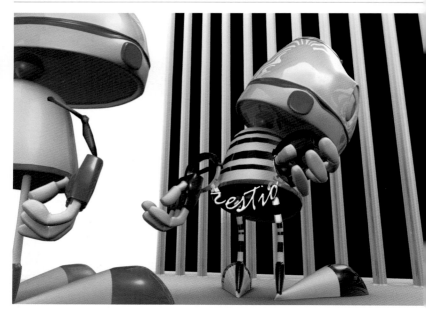

	Present	Perfect	Imperfect	Past perfect	Past	Future	Conditional
1st sing	Rydw i'n...	Rydw i wedi...	Roeddwn i'n...	Roeddwn i wedi...	Arestiais i	Bydda i'n...	Baswn i'n...
2nd sing	Rwyt ti'n...	Rwyt ti wedi...	Roeddet ti'n...	Roeddet ti wedi...	Arestiaist ti	Byddi di'n...	Baset ti'n...
3rd sing	Mae e'n:o'n / hi'n...	Mae e:o / hi wedi...	Roedd e'n:o'n / hi'n...	Roedd e:o / hi wedi...	Arestiodd e:o/hi	Bydd e'n:o'n / hi'n...	Basai e'n:o'n / hi'n...
1st pl	Rydyn ni'n...	Rydyn ni wedi...	Roedden ni'n...	Roedden ni wedi...	Arestion ni	Byddwn ni'n...	Basen ni'n...
2nd pl	Rydych chi'n...	Rydych chi wedi...	Roeddech chi'n...	Roeddech chi wedi...	Arestioch chi	Byddwch chi'n...	Basech chi'n...
3rd pl	Maen nhw'n...	Maen nhw wedi...	Roedden nhw'n...	Roedden nhw wedi...	Arestion nhw	Byddan nhw'n...	Basen nhw'n...

	Present	Perfect	Imperfect	Past perfect	Past	Future	Conditional
1st sing	Rydw i'n...	Rydw i wedi...	Roeddwn i'n...	Roeddwn i wedi...	Arhosais i	Bydda i'n...	Baswn i'n...
2nd sing	Rwyt ti'n...	Rwyt ti wedi...	Roeddet ti'n...	Roeddet ti wedi...	Arhosaist ti	Byddi di'n...	Baset ti'n...
3rd sing	Mae e'n:o'n / hi'n...	Mae e:o / hi wedi...	Roedd e'n:o'n / hi'n...	Roedd e:o / hi wedi...	Arhosodd e:o/hi	Bydd e'n:o'n / hi'n...	Basai e'n:o'n / hi'n...
1st pl	Rydyn ni'n...	Rydyn ni wedi...	Roedden ni'n...	Roedden ni wedi...	Arhoson ni	Byddwn ni'n...	Basen ni'n...
2nd pl	Rydych chi'n...	Rydych chi wedi...	Roeddech chi'n...	Roeddech chi wedi...	Arhosoch chi	Byddwch chi'n...	Basech chi'n...
3rd pl	Maen nhw'n...	Maen nhw wedi...	Roedden nhw'n...	Roedden nhw wedi...	Arhoson nhw	Byddan nhw'n...	Basen nhw'n...

	Present	Perfect	Imperfect	Past perfect	Past	Future	Conditional
1st sing	Rydw i'n...	Rydw i wedi...	Roeddwn i'n...	Roeddwn i wedi...	Astudiais i	Bydda i'n...	Baswn i'n...
2nd sing	Rwyt ti'n...	Rwyt ti wedi...	Roeddet ti'n...	Roeddet ti wedi...	Astudiaist ti	Byddi di'n...	Baset ti'n...
3rd sing	Mae e'n:o'n / hi'n...	Mae e:o / hi wedi...	Roedd e'n:o'n / hi'n...	Roedd e:o / hi wedi...	Astudiodd e:o/hi	Bydd e'n:o'n / hi'n...	Basai e'n:o'n / hi'n...
1st pl	Rydyn ni'n...	Rydyn ni wedi...	Roedden ni'n...	Roedden ni wedi...	Astudion ni	Byddwn ni'n...	Basen ni'n...
2nd pl	Rydych chi'n...	Rydych chi wedi...	Roeddech chi'n...	Roeddech chi wedi...	Astudioch chi	Byddwch chi'n...	Basech chi'n...
3rd pl	Maen nhw'n...	Maen nhw wedi...	Roedden nhw'n...	Roedden nhw wedi...	Astudion nhw	Byddan nhw'n...	Basen nhw'n...

	Present	Perfect	Imperfect	Past perfect	Past	Future	Conditional
1st sing	Rydw i'n...	Rydw i wedi...	Roeddwn i'n...	Roeddwn i wedi...	Baglais i	Bydda i'n...	Baswn i'n...
2nd sing	Rwyt ti'n...	Rwyt ti wedi...	Roeddet ti'n...	Roeddet ti wedi...	Baglaist ti	Byddi di'n...	Baset ti'n...
3rd sing	Mae e'n:o'n / hi'n...	Mae e:o / hi wedi...	Roedd e'n:o'n / hi'n...	Roedd e:o / hi wedi...	Baglodd e:o/hi	Bydd e'n:o'n / hi'n...	Basai e'n:o'n / hi'n...
1st pl	Rydyn ni'n...	Rydyn ni wedi...	Roedden ni'n...	Roedden ni wedi...	Baglon ni	Byddwn ni'n...	Basen ni'n...
2nd pl	Rydych chi'n...	Rydych chi wedi...	Roeddech chi'n...	Roeddech chi wedi...	Bagloch chi	Byddwch chi'n...	Basech chi'n...
3rd pl	Maen nhw'n...	Maen nhw wedi...	Roedden nhw'n...	Roedden nhw wedi...	Baglon nhw	Byddan nhw'n...	Basen nhw'n...

	Present	Perfect	Imperfect	Past perfect	Past	Future	Conditional
1st sing	Rydw i'n	Rydw i wedi...	Roeddwn i'n	Roeddwn i wedi...	Bûm/bues i	Bydda i	Baswn i'n
2nd sing	Rwyt ti'n	Rwyt ti wedi...	Roeddet ti'n	Roeddet ti wedi...	Buost ti	Byddi di	Baset ti'n
3rd sing	Mae e'n:o'n / hi'n	Mae e:o / hi wedi...	Roedd e'n:o'n / hi'n	Roedd e:o / hi wedi...	Bu/buodd e:o/hi	Bydd e:o/hi	Basai e'n:o'n / hi'n
1st pl	Rydyn ni'n	Rydyn ni wedi...	Roedden ni'n	Roedden ni wedi...	Buon ni	Byddwn ni	Basen ni'n
2nd pl	Rydych chi'n	Rydych chi wedi...	Roeddech chi'n	Roeddech chi wedi...	Buoch chi	Byddwch chi	Basech chi'n
3rd pl	Maen nhw'n	Maen nhw wedi...	Roedden nhw'n	Roedden nhw wedi...	Buon nhw	Byddan nhw	Basen nhw'n

	Present	Perfect	Imperfect	Past perfect	Past	Future	Conditional
1st sing	Rydw i'n...	Rydw i wedi...	Roeddwn i'n...	Roeddwn i wedi...	Breudd-wydiais i	Bydda i'n...	Baswn i'n...
2nd sing	Rwyt ti'n...	Rwyt ti wedi...	Roeddet ti'n...	Roeddet ti wedi...	Breudd-wydiaist ti	Byddi di'n...	Baset ti'n...
3rd sing	Mae e'n:o'n / hi'n...	Mae e:o / hi wedi...	Roedd e'n:o'n / hi'n...	Roedd e:o / hi wedi...	Breudd-wydiodd e:o/hi	Bydd e'n:o'n / hi'n...	Basai e'n:o'n / hi'n...
1st pl	Rydyn ni'n...	Rydyn ni wedi...	Roedden ni'n...	Roedden ni wedi...	Breudd-wydion ni	Byddwn ni'n...	Basen ni'n...
2nd pl	Rydych chi'n...	Rydych chi wedi...	Roeddech chi'n...	Roeddech chi wedi...	Breudd-wydioch chi	Byddwch chi'n...	Basech chi'n...
3rd pl	Maen nhw'n...	Maen nhw wedi...	Roedden nhw'n...	Roedden nhw wedi...	Breudd-wydion nhw	Byddan nhw'n...	Basen nhw'n...

	Present	Perfect	Imperfect	Past perfect	Past	Future	Conditional
1st sing							
2nd sing							
3rd sing	Mae hi'n...	Mae hi wedi...	Roedd hi	Mae hi wedi...	Glawiodd hi	Bydd hi'n...	Basai hi'n...
1st pl							
2nd pl							
3rd pl							

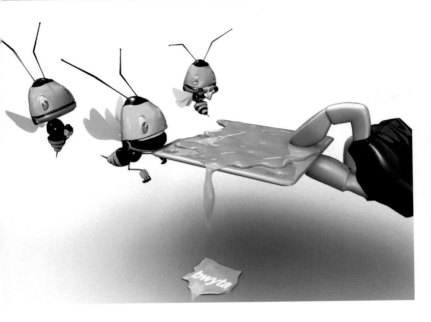

	Present	Perfect	Imperfect	Past perfect	Past	Future	Conditional
1st sing	Rydw i'n...	Rydw i wedi...	Roeddwn i'n...	Roeddwn i wedi...	Bwyteais i	Bydda i'n...	Baswn i'n...
2nd sing	Rwyt ti'n...	Rwyt ti wedi...	Roeddet ti'n...	Roeddet ti wedi...	Bwyteaist ti	Byddi di'n...	Baset ti'n...
3rd sing	Mae e'n:o'n / hi'n...	Mae e:o / hi wedi...	Roedd e'n:o'n / hi'n...	Roedd e:o / hi wedi...	Bwytaodd e:o/hi	Bydd e'n:o'n / hi'n...	Basai e'n:o'n / hi'n...
1st pl	Rydyn ni'n...	Rydyn ni wedi...	Roedden ni'n...	Roedden ni wedi...	Bwytaon ni	Byddwn ni'n...	Basen ni'n...
2nd pl	Rydych chi'n...	Rydych chi wedi...	Roeddech chi'n...	Roeddech chi wedi...	Bwytaoch chi	Byddwch chi'n...	Basech chi'n...
3rd pl	Maen nhw'n...	Maen nhw wedi...	Roedden nhw'n...	Roedden nhw wedi...	Bwytaon nhw	Byddan nhw'n...	Basen nhw'n...

	Present	Perfect	Imperfect	Past perfect	Past	Future	Conditional
1st sing	Rydw i'n...	Rydw i wedi...	Roeddwn i'n...	Roeddwn i wedi...	Cabolais i	Bydda i'n...	Baswn i'n...
2nd sing	Rwyt ti'n...	Rwyt ti wedi...	Roeddet ti'n...	Roeddet ti wedi...	Cabolaist ti	Byddi di'n...	Baset ti'n...
3rd sing	Mae e'n:o'n / hi'n...	Mae e:o / hi wedi...	Roedd e'n:o'n / hi'n...	Roedd e:o / hi wedi...	Cabolodd e:o/hi	Bydd e'n:o'n / hi'n...	Basai e'n:o'n / hi'n...
1st pl	Rydyn ni'n...	Rydyn ni wedi...	Roedden ni'n...	Roedden ni wedi...	Cabolon ni	Byddwn ni'n...	Basen ni'n...
2nd pl	Rydych chi'n...	Rydych chi wedi...	Roeddech chi'n...	Roeddech chi wedi...	Caboloch chi	Byddwch chi'n...	Basech chi'n...
3rd pl	Maen nhw'n...	Maen nhw wedi...	Roedden nhw'n...	Roedden nhw wedi...	Cabolon nhw	Byddan nhw'n...	Basen nhw'n...

	Present	Perfect	Imperfect	Past perfect	Past	Future	Conditional
1st sing	Use Mae gen i etc.	Rydw i wedi...	Roeddwn i'n...	Roeddwn i wedi...	Cefais i	Bydda i'n...	Baswn i'n...
2nd sing		Rwyt ti wedi...	Roeddet ti'n...	Roeddet ti wedi...	Cefaist ti	Byddi di'n...	Baset ti'n...
3rd sing		Mae e:o / hi wedi...	Roedd e'n:o'n / hi'n...	Roedd e:o / hi wedi...	Cafodd e:o/hi	Bydd e'n:o'n / hi'n...	Basai e'n:o'n / hi'n...
1st pl		Rydyn ni wedi...	Roedden ni'n...	Roedden ni wedi...	Cawson ni	Byddwn ni'n...	Basen ni'n...
2nd pl		Rydych chi wedi...	Roeddech chi'n...	Roeddech chi wedi...	Cawsoch chi	Byddwch chi'n...	Basech chi'n...
3rd pl		Maen nhw wedi...	Roedden nhw'n...	Roedden nhw wedi...	Cawson nhw	Byddan nhw'n...	Basen nhw'n...

	Present	Perfect	Imperfect	Past perfect	Past	Future	Conditional
1st sing	Rydw i'n...	Rydw i wedi...	Roeddwn i'n...	Roeddwn i wedi...	Cefais i gawod	Bydda i'n...	Baswn i'n...
2nd sing	Rwyt ti'n...	Rwyt ti wedi...	Roeddet ti'n...	Roeddet ti wedi...	Cefaist ti gawod	Byddi di'n...	Baset ti'n...
3rd sing	Mae e'n:o'n / hi'n...	Mae e:o / hi wedi...	Roedd e'n:o'n / hi'n...	Roedd e:o / hi wedi...	Cafodd e:o/ hi gawod	Bydd e'n:o'n / hi'n...	Basai e'n:o'n / hi'n...
1st pl	Rydyn ni'n...	Rydyn ni wedi...	Roedden ni'n...	Roedden ni wedi...	Cawson ni gawod	Byddwn ni'n...	Basen ni'n...
2nd pl	Rydych chi'n...	Rydych chi wedi...	Roeddech chi'n...	Roeddech chi wedi...	Cawsoch chi gawod	Byddwch chi'n...	Basech chi'n...
3rd pl	Maen nhw'n...	Maen nhw wedi...	Roedden nhw'n...	Roedden nhw wedi...	Cawson nhw gawod	Byddan nhw'n...	Basen nhw'n...

	Present	Perfect	Imperfect	Past perfect	Past	Future	Conditional
1st sing	Rydw i'n...	Rydw i wedi...	Roeddwn i'n...	Roeddwn i wedi...	Cenais i	Bydda i'n...	Baswn i'n...
2nd sing	Rwyt ti'n...	Rwyt ti wedi...	Roeddet ti'n...	Roeddet ti wedi...	Cenaist ti	Byddi di'n...	Baset ti'n...
3rd sing	Mae e'n:o'n / hi'n...	Mae e:o / hi wedi...	Roedd e'n:o'n / hi'n...	Roedd e:o / hi wedi...	Canodd e:o/hi	Bydd e'n:o'n / hi'n...	Basai e'n:o'n / hi'n...
1st pl	Rydyn ni'n...	Rydyn ni wedi...	Roedden ni'n...	Roedden ni wedi...	Canon ni	Byddwn ni'n...	Basen ni'n...
2nd pl	Rydych chi'n...	Rydych chi wedi...	Roeddech chi'n...	Roeddech chi wedi...	Canoch chi	Byddwch chi'n...	Basech chi'n...
3rd pl	Maen nhw'n...	Maen nhw wedi...	Roedden nhw'n...	Roedden nhw wedi...	Canon nhw	Byddan nhw'n...	Basen nhw'n...

	Present	Perfect	Imperfect	Past perfect	Past	Future	Conditional
1st sing	Rydw i'n...	Rydw i wedi...	Roeddwn i'n...	Roeddwn i wedi...	Cariais i	Bydda i'n...	Baswn i'n...
2nd sing	Rwyt ti'n...	Rwyt ti wedi...	Roeddet ti'n...	Roeddet ti wedi...	Cariaist ti	Byddi di'n...	Baset ti'n...
3rd sing	Mae e'n:o'n / hi'n...	Mae e:o / hi wedi...	Roedd e'n:o'n / hi'n...	Roedd e:o / hi wedi...	Cariodd e:o/hi	Bydd e'n:o'n / hi'n...	Basai e'n:o'n / hi'n...
1st pl	Rydyn ni'n...	Rydyn ni wedi...	Roedden ni'n...	Roedden ni wedi...	Carion ni	Byddwn ni'n...	Basen ni'n...
2nd pl	Rydych chi'n...	Rydych chi wedi...	Roeddech chi'n...	Roeddech chi wedi...	Carioch chi	Byddwch chi'n...	Basech chi'n...
3rd pl	Maen nhw'n...	Maen nhw wedi...	Roedden nhw'n...	Roedden nhw wedi...	Carion nhw	Byddan nhw'n...	Basen nhw'n...

	Present	Perfect	Imperfect	Past perfect	Past	Future	Conditional
1st sing	Rydw i'n...	Rydw i wedi...	Roeddwn i'n...	Roeddwn i wedi...	Cerais i	Bydda i'n...	Baswn i'n...
2nd sing	Rwyt ti'n...	Rwyt ti wedi...	Roeddet ti'n...	Roeddet ti wedi...	Ceraist ti	Byddi di'n...	Baset ti'n...
3rd sing	Mae e'n:o'n / hi'n...	Mae e:o / hi wedi...	Roedd e'n:o'n / hi'n...	Roedd e:o / hi wedi...	Carodd e:o/hi	Bydd e'n:o'n / hi'n...	Basai e'n:o'n / hi'n...
1st pl	Rydyn ni'n...	Rydyn ni wedi...	Roedden ni'n...	Roedden ni wedi...	Caron ni	Byddwn ni'n...	Basen ni'n...
2nd pl	Rydych chi'n...	Rydych chi wedi...	Roeddech chi'n...	Roeddech chi wedi...	Caroch chi	Byddwch chi'n...	Basech chi'n...
3rd pl	Maen nhw'n...	Maen nhw wedi...	Roedden nhw'n...	Roedden nhw wedi...	Caron nhw	Byddan nhw'n...	Basen nhw'n...

	Present	Perfect	Imperfect	Past perfect	Past	Future	Conditional
1st sing	Rydw i'n...	Rydw i wedi...	Roeddwn i'n...	Roeddwn i wedi...	Caeais i	Bydda i'n...	Baswn i'n...
2nd sing	Rwyt ti'n...	Rwyt ti wedi...	Roeddet ti'n...	Roeddet ti wedi...	Caeaist ti	Byddi di'n...	Baset ti'n...
3rd sing	Mae e'n:o'n / hi'n...	Mae e:o / hi wedi...	Roedd e'n:o'n / hi'n...	Roedd e:o / hi wedi...	Caeodd e:o/hi	Bydd e'n:o'n / hi'n...	Basai e'n:o'n / hi'n...
1st pl	Rydyn ni'n...	Rydyn ni wedi...	Roedden ni'n...	Roedden ni wedi...	Caeon ni	Byddwn ni'n...	Basen ni'n...
2nd pl	Rydych chi'n...	Rydych chi wedi...	Roeddech chi'n...	Roeddech chi wedi...	Caeoch chi	Byddwch chi'n...	Basech chi'n...
3rd pl	Maen nhw'n...	Maen nhw wedi...	Roedden nhw'n...	Roedden nhw wedi...	Caeon nhw	Byddan nhw'n...	Basen nhw'n...

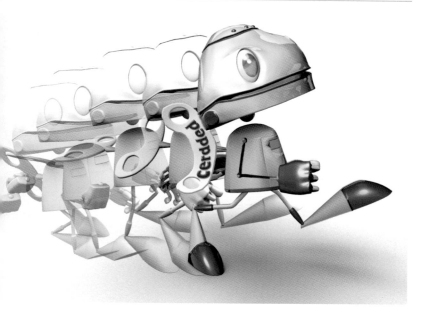

	Present	Perfect	Imperfect	Past perfect	Past	Future	Conditional
st ng	Rydw i'n...	Rydw i wedi...	Roeddwn i'n...	Roeddwn i wedi...	Cerddais i	Bydda i'n...	Baswn i'n...
nd ng	Rwyt ti'n...	Rwyt ti wedi...	Roeddet ti'n...	Roeddet ti wedi...	Cerddaist ti	Byddi di'n...	Baset ti'n...
rd ng	Mae e'n:o'n / hi'n...	Mae e:o / hi wedi...	Roedd e'n:o'n / hi'n...	Roedd e:o / hi wedi...	Cerddodd e:o/hi	Bydd e'n:o'n / hi'n...	Basai e'n:o'n / hi'n...
st l	Rydyn ni'n...	Rydyn ni wedi...	Roedden ni'n...	Roedden ni wedi...	Cerddon ni	Byddwn ni'n...	Basen ni'n...
nd l	Rydych chi'n...	Rydych chi wedi...	Roeddech chi'n...	Roeddech chi wedi...	Cerddoch chi	Byddwch chi'n...	Basech chi'n...
rd l	Maen nhw'n...	Maen nhw wedi...	Roedden nhw'n...	Roedden nhw wedi...	Cerddon nhw	Byddan nhw'n...	Basen nhw'n...

	Present	Perfect	Imperfect	Past perfect	Past	Future	Conditional
1st sing	Rydw i'n...	Rydw i wedi...	Roeddwn i'n...	Roeddwn i wedi...	Ciciais i	Bydda i'n...	Baswn i'n...
2nd sing	Rwyt ti'n...	Rwyt ti wedi...	Roeddet ti'n...	Roeddet ti wedi...	Ciciaist ti	Byddi di'n...	Baset ti'n...
3rd sing	Mae e'n:o'n / hi'n...	Mae e:o / hi wedi...	Roedd e'n:o'n / hi'n...	Roedd e:o / hi wedi...	Ciciodd e:o/hi	Bydd e'n:o'n / hi'n...	Basai e'n:o'n / hi'n...
1st pl	Rydyn ni'n...	Rydyn ni wedi...	Roedden ni'n...	Roedden ni wedi...	Cicion ni	Byddwn ni'n...	Basen ni'n...
2nd pl	Rydych chi'n...	Rydych chi wedi...	Roeddech chi'n...	Roeddech chi wedi...	Cicioch chi	Byddwch chi'n...	Basech chi'n...
3rd pl	Maen nhw'n...	Maen nhw wedi...	Roedden nhw'n...	Roedden nhw wedi...	Cicion nhw	Byddan nhw'n...	Basen nhw'n...

	Present	Perfect	Imperfect	Past perfect	Past	Future	Conditional
1st sing	Rydw i'n...	Rydw i wedi...	Roeddwn i'n...	Roeddwn i wedi...	Clywais i	Bydda i'n...	Baswn i'n...
2nd sing	Rwyt ti'n...	Rwyt ti wedi...	Roeddet ti'n...	Roeddet ti wedi...	Clywaist ti	Byddi di'n...	Baset ti'n...
3rd sing	Mae e'n:o'n / hi'n...	Mae e:o / hi wedi...	Roedd e'n:o'n / hi'n...	Roedd e:o / hi wedi...	Clywodd e:o/hi	Bydd e'n:o'n / hi'n...	Basai e'n:o'n / hi'n...
1st pl	Rydyn ni'n...	Rydyn ni wedi...	Roedden ni'n...	Roedden ni wedi...	Clywon ni	Byddwn ni'n...	Basen ni'n...
2nd pl	Rydych chi'n...	Rydych chi wedi...	Roeddech chi'n...	Roeddech chi wedi...	Clywoch chi	Byddwch chi'n...	Basech chi'n...
3rd pl	Maen nhw'n...	Maen nhw wedi...	Roedden nhw'n...	Roedden nhw wedi...	Clywon nhw	Byddan nhw'n...	Basen nhw'n...

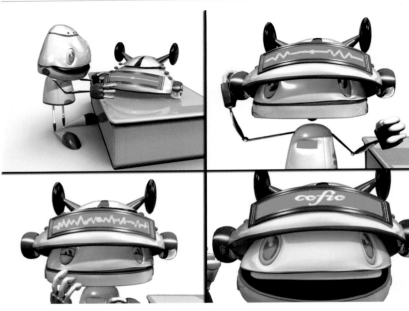

	Present	Perfect	Imperfect	Past perfect	Past	Future	Conditional
1st sing	Rydw i'n...	Rydw i wedi...	Roeddwn i'n...	Roeddwn i wedi...	Cofiais i	Bydda i'n...	Baswn i'n...
2nd sing	Rwyt ti'n...	Rwyt ti wedi...	Roeddet ti'n...	Roeddet ti wedi...	Cofiaist ti	Byddi di'n...	Baset ti'n...
3rd sing	Mae e'n:o'n / hi'n...	Mae e:o / hi wedi...	Roedd e'n:o'n / hi'n...	Roedd e:o / hi wedi...	Cofiodd e:o/hi	Bydd e'n:o'n / hi'n...	Basai e'n:o'n / hi'n...
1st pl	Rydyn ni'n...	Rydyn ni wedi...	Roedden ni'n...	Roedden ni wedi...	Cofion ni	Byddwn ni'n...	Basen ni'n...
2nd pl	Rydych chi'n...	Rydych chi wedi...	Roeddech chi'n...	Roeddech chi wedi...	Cofioch chi	Byddwch chi'n...	Basech chi'n...
3rd pl	Maen nhw'n...	Maen nhw wedi...	Roedden nhw'n...	Roedden nhw wedi...	Cofion nhw	Byddan nhw'n...	Basen nhw'n...

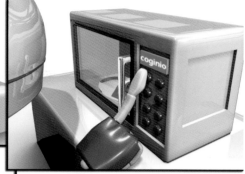

	Present	Perfect	Imperfect	Past perfect	Past	Future	Conditional
1st ing	Rydw i'n...	Rydw i wedi...	Roeddwn i'n...	Roeddwn i wedi...	Coginiais i	Bydda i'n...	Baswn i'n...
2nd ing	Rwyt ti'n...	Rwyt ti wedi...	Roeddet ti'n...	Roeddet ti wedi...	Coginiaist ti	Byddi di'n...	Baset ti'n...
3rd ing	Mae e'n:o'n / hi'n...	Mae e:o / hi wedi...	Roedd e'n:o'n / hi'n...	Roedd e:o / hi wedi...	Coginiodd e:o/hi	Bydd e'n:o'n / hi'n...	Basai e'n:o'n / hi'n...
1st pl	Rydyn ni'n...	Rydyn ni wedi...	Roedden ni'n...	Roedden ni wedi...	Coginion ni	Byddwn ni'n...	Basen ni'n...
2nd pl	Rydych chi'n...	Rydych chi wedi...	Roeddech chi'n...	Roeddech chi wedi...	Coginioch chi	Byddwch chi'n...	Basech chi'n...
3rd pl	Maen nhw'n...	Maen nhw wedi...	Roedden nhw'n...	Roedden nhw wedi...	Coginion nhw	Byddan nhw'n...	Basen nhw'n...

	Present	Perfect	Imperfect	Past perfect	Past	Future	Conditional
1st sing	Rydw i'n...	Rydw i wedi...	Roeddwn i'n...	Roeddwn i wedi...	Collais i	Bydda i'n...	Baswn i'n...
2nd sing	Rwyt ti'n...	Rwyt ti wedi...	Roeddet ti'n...	Roeddet ti wedi...	Collaist ti	Byddi di'n...	Baset ti'n...
3rd sing	Mae e'n:o'n / hi'n...	Mae e:o / hi wedi...	Roedd e'n:o'n / hi'n...	Roedd e:o / hi wedi...	Collodd e:o/hi	Bydd e'n:o'n / hi'n...	Basai e'n:o'n / hi'n...
1st pl	Rydyn ni'n...	Rydyn ni wedi...	Roedden ni'n...	Roedden ni wedi...	Collon ni	Byddwn ni'n...	Basen ni'n...
2nd pl	Rydych chi'n...	Rydych chi wedi...	Roeddech chi'n...	Roeddech chi wedi...	Colloch chi	Byddwch chi'n...	Basech chi'n...
3rd pl	Maen nhw'n...	Maen nhw wedi...	Roedden nhw'n...	Roedden nhw wedi...	Collon nhw	Byddan nhw'n...	Basen nhw'n...

	Present	Perfect	Imperfect	Past perfect	Past	Future	Conditional
1st sing	Rydw i'n...	Rydw i wedi...	Roeddwn i'n...	Roeddwn i wedi...	Creais i	Bydda i'n...	Baswn i'n...
2nd sing	Rwyt ti'n...	Rwyt ti wedi...	Roeddet ti'n...	Roeddet ti wedi...	Creaist ti	Byddi di'n...	Baset ti'n...
3rd sing	Mae e'n:o'n / hi'n...	Mae e:o / hi wedi...	Roedd e'n:o'n / hi'n...	Roedd e:o / hi wedi...	Creodd e:o/hi	Bydd e'n:o'n / hi'n...	Basai e'n:o'n / hi'n...
1st pl	Rydyn ni'n...	Rydyn ni wedi...	Roedden ni'n...	Roedden ni wedi...	Creon ni	Byddwn ni'n...	Basen ni'n...
2nd pl	Rydych chi'n...	Rydych chi wedi...	Roeddech chi'n...	Roeddech chi wedi...	Creoch chi	Byddwch chi'n...	Basech chi'n...
3rd pl	Maen nhw'n...	Maen nhw wedi...	Roedden nhw'n...	Roedden nhw wedi...	Creon nhw	Byddan nhw'n...	Basen nhw'n...

	Present	Perfect	Imperfect	Past perfect	Past	Future	Conditional
1st sing	Rydw i'n...	Rydw i wedi...	Roeddwn i'n...	Roeddwn i wedi...	Cribais i	Bydda i'n...	Baswn i'n...
2nd sing	Rwyt ti'n...	Rwyt ti wedi...	Roeddet ti'n...	Roeddet ti wedi...	Cribaist ti	Byddi di'n...	Baset ti'n...
3rd sing	Mae e'n:o'n / hi'n...	Mae e:o / hi wedi...	Roedd e'n:o'n / hi'n...	Roedd e:o / hi wedi...	Cribodd e:o/hi	Bydd e'n:o'n / hi'n...	Basai e'n:o'n / hi'n...
1st pl	Rydyn ni'n...	Rydyn ni wedi...	Roedden ni'n...	Roedden ni wedi...	Cribon ni	Byddwn ni'n...	Basen ni'n...
2nd pl	Rydych chi'n...	Rydych chi wedi...	Roeddech chi'n...	Roeddech chi wedi...	Criboch chi	Byddwch chi'n...	Basech chi'n...
3rd pl	Maen nhw'n...	Maen nhw wedi...	Roedden nhw'n...	Roedden nhw wedi...	Cribon nhw	Byddan nhw'n...	Basen nhw'n...

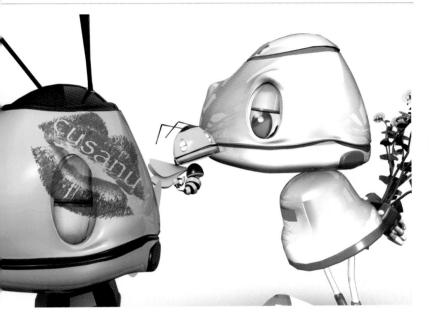

	Present	Perfect	Imperfect	Past perfect	Past	Future	Conditional
1st sing	Rydw i'n...	Rydw i wedi...	Roeddwn i'n...	Roeddwn i wedi...	Cusanais i	Bydda i'n...	Baswn i'n...
2nd sing	Rwyt ti'n...	Rwyt ti wedi...	Roeddet ti'n...	Roeddet ti wedi...	Cusanaist ti	Byddi di'n...	Baset ti'n...
3rd sing	Mae e'n:o'n / hi'n...	Mae e:o / hi wedi...	Roedd e'n:o'n / hi'n...	Roedd e:o / hi wedi...	Cusanodd e:o/hi	Bydd e'n:o'n / hi'n...	Basai e'n:o'n / hi'n...
1st pl	Rydyn ni'n...	Rydyn ni wedi...	Roedden ni'n...	Roedden ni wedi...	Cusanon ni	Byddwn ni'n...	Basen ni'n...
2nd pl	Rydych chi'n...	Rydych chi wedi...	Roeddech chi'n...	Roeddech chi wedi...	Cusanoch chi	Byddwch chi'n...	Basech chi'n...
3rd pl	Maen nhw'n...	Maen nhw wedi...	Roedden nhw'n...	Roedden nhw wedi...	Cusanon nhw	Byddan nhw'n...	Basen nhw'n...

	Present	Perfect	Imperfect	Past perfect	Past	Future	Conditional
1st sing	Rydw i'n...	Rydw i wedi...	Roeddwn i'n...	Roeddwn i wedi...	Cyfeiriais i	Bydda i'n...	Baswn i'n...
2nd sing	Rwyt ti'n...	Rwyt ti wedi...	Roeddet ti'n...	Roeddet ti wedi...	Cyfeiriaist ti	Byddi di'n...	Baset ti'n...
3rd sing	Mae e'n:o'n / hi'n...	Mae e:o / hi wedi...	Roedd e'n:o'n / hi'n...	Roedd e:o / hi wedi...	Cyfeiriodd e:o/hi	Bydd e'n:o'n / hi'n...	Basai e'n:o'n / hi'n...
1st pl	Rydyn ni'n...	Rydyn ni wedi...	Roedden ni'n...	Roedden ni wedi...	Cyfeirion ni	Byddwn ni'n...	Basen ni'n...
2nd pl	Rydych chi'n...	Rydych chi wedi...	Roeddech chi'n...	Roeddech chi wedi...	Cyfeirioch chi	Byddwch chi'n...	Basech chi'n...
3rd pl	Maen nhw'n...	Maen nhw wedi...	Roedden nhw'n...	Roedden nhw wedi...	Cyfeirion nhw	Byddan nhw'n...	Basen nhw'n...

	Present	Perfect	Imperfect	Past perfect	Past	Future	Conditional
1st sing	Rydw i'n...	Rydw i wedi...	Roeddwn i'n...	Roeddwn i wedi...	Cyfrifais i	Bydda i'n...	Baswn i'n...
2nd sing	Rwyt ti'n...	Rwyt ti wedi...	Roeddet ti'n...	Roeddet ti wedi...	Cyfrifaist ti	Byddi di'n...	Baset ti'n...
3rd sing	Mae e'n:o'n / hi'n...	Mae e:o / hi wedi...	Roedd e'n:o'n / hi'n...	Roedd e:o / hi wedi...	Cyfrifodd e:o/hi	Bydd e'n:o'n / hi'n...	Basai e'n:o'n / hi'n...
1st pl	Rydyn ni'n...	Rydyn ni wedi...	Roedden ni'n...	Roedden ni wedi...	Cyfrifon ni	Byddwn ni'n...	Basen ni'n...
2nd pl	Rydych chi'n...	Rydych chi wedi...	Roeddech chi'n...	Roeddech chi wedi...	Cyfrifoch chi	Byddwch chi'n...	Basech chi'n...
3rd pl	Maen nhw'n...	Maen nhw wedi...	Roedden nhw'n...	Roedden nhw wedi...	Cyfrifon nhw	Byddan nhw'n...	Basen nhw'n...

	Present	Perfect	Imperfect	Past perfect	Past	Future	Conditional
1st sing	Rydw i'n...	Rydw i wedi...	Roeddwn i'n...	Roeddwn i wedi...	Cyneuais i	Bydda i'n...	Baswn i'n...
2nd sing	Rwyt ti'n...	Rwyt ti wedi...	Roeddet ti'n...	Roeddet ti wedi...	Cyneuaist ti	Byddi di'n...	Baset ti'n...
3rd sing	Mae e'n:o'n / hi'n...	Mae e:o / hi wedi...	Roedd e'n:o'n / hi'n...	Roedd e:o / hi wedi...	Cyneuodd e:o/hi	Bydd e'n:o'n / hi'n...	Basai e'n:o'n / hi'n...
1st pl	Rydyn ni'n...	Rydyn ni wedi...	Roedden ni'n...	Roedden ni wedi...	Cyneuon ni	Byddwn ni'n...	Basen ni'n...
2nd pl	Rydych chi'n...	Rydych chi wedi...	Roeddech chi'n...	Roeddech chi wedi...	Cyneuoch chi	Byddwch chi'n...	Basech chi'n...
3rd pl	Maen nhw'n...	Maen nhw wedi...	Roedden nhw'n...	Roedden nhw wedi...	Cyneuon nhw	Byddan nhw'n...	Basen nhw'n...

	Present	Perfect	Imperfect	Past perfect	Past	Future	Conditional
1st sing	Rydw i'n...	Rydw i wedi...	Roeddwn i'n...	Roeddwn i wedi...	Cyrhaedd-ais i	Bydda i'n...	Baswn i'n...
2nd sing	Rwyt ti'n...	Rwyt ti wedi...	Roeddet ti'n...	Roeddet ti wedi...	Cyrhaedd-aist ti	Byddi di'n...	Baset ti'n...
3rd sing	Mae e'n:o'n / hi'n...	Mae e:o / hi wedi...	Roedd e'n:o'n / hi'n...	Roedd e:o / hi wedi...	Cyrhaedd-odd e:o/hi	Bydd e'n:o'n / hi'n...	Basai e'n:o'n / hi'n...
1st pl	Rydyn ni'n...	Rydyn ni wedi...	Roedden ni'n...	Roedden ni wedi...	Cyrhaedd-on ni	Byddwn ni'n...	Basen ni'n...
2nd pl	Rydych chi'n...	Rydych chi wedi...	Roeddech chi'n...	Roeddech chi wedi...	Cyrhaedd-och chi	Byddwch chi'n...	Basech chi'n...
3rd pl	Maen nhw'n...	Maen nhw wedi...	Roedden nhw'n...	Roedden nhw wedi...	Cyrhaeddon nhw	Byddan nhw'n...	Basen nhw'n...

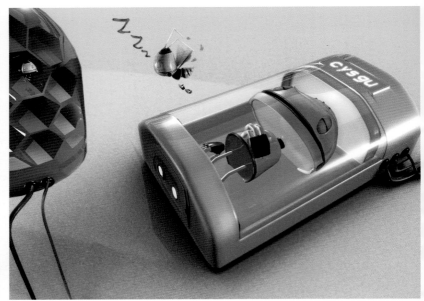

	Present	Perfect	Imperfect	Past perfect	Past	Future	Conditional
1st sing	Rydw i'n...	Rydw i wedi...	Roeddwn i'n...	Roeddwn i wedi...	Cysgais i	Bydda i'n...	Baswn i'n...
2nd sing	Rwyt ti'n...	Rwyt ti wedi...	Roeddet ti'n...	Roeddet ti wedi...	Cysgaist ti	Byddi di'n...	Baset ti'n...
3rd sing	Mae e'n:o'n / hi'n...	Mae e:o / hi wedi...	Roedd e'n:o'n / hi'n...	Roedd e:o / hi wedi...	Cysgodd e:o/hi	Bydd e'n:o'n / hi'n...	Basai e'n:o'n / hi'n...
1st pl	Rydyn ni'n...	Rydyn ni wedi...	Roedden ni'n...	Roedden ni wedi...	Cysgon ni	Byddwn ni'n...	Basen ni'n...
2nd pl	Rydych chi'n...	Rydych chi wedi...	Roeddech chi'n...	Roeddech chi wedi...	Cysgoch chi	Byddwch chi'n...	Basech chi'n...
3rd pl	Maen nhw'n...	Maen nhw wedi...	Roedden nhw'n...	Roedden nhw wedi...	Cysgon nhw	Byddan nhw'n...	Basen nhw'n...

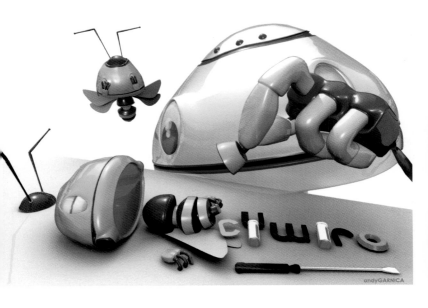

andyGARNICA

	Present	Perfect	Imperfect	Past perfect	Past	Future	Conditional
1st sing	Rydw i'n...	Rydw i wedi...	Roeddwn i'n...	Roeddwn i wedi...	Cywirais i	Bydda i'n...	Baswn i'n...
2nd sing	Rwyt ti'n...	Rwyt ti wedi...	Roeddet ti'n...	Roeddet ti wedi...	Cywiraist ti	Byddi di'n...	Baset ti'n...
3rd sing	Mae e'n:o'n / hi'n...	Mae e:o / hi wedi...	Roedd e'n:o'n / hi'n...	Roedd e:o / hi wedi...	Cywirodd e:o/hi	Bydd e'n:o'n / hi'n...	Basai e'n:o'n / hi'n...
1st pl	Rydyn ni'n...	Rydyn ni wedi...	Roedden ni'n...	Roedden ni wedi...	Cywiron ni	Byddwn ni'n...	Basen ni'n...
2nd pl	Rydych chi'n...	Rydych chi wedi...	Roeddech chi'n...	Roeddech chi wedi...	Cywiroch chi	Byddwch chi'n...	Basech chi'n...
3rd pl	Maen nhw'n...	Maen nhw wedi...	Roedden nhw'n...	Roedden nhw wedi...	Cywiron nhw	Byddan nhw'n...	Basen nhw'n...

	Present	Perfect	Imperfect	Past perfect	Past	Future	Conditional
1st sing	Rydw i'n...	Rydw i wedi...	Roeddwn i'n...	Roeddwn i wedi...	Chwaraeais i	Bydda i'n...	Baswn i'n...
2nd sing	Rwyt ti'n...	Rwyt ti wedi...	Roeddet ti'n...	Roeddet ti wedi...	Chwarae-aist ti	Byddi di'n...	Baset ti'n...
3rd sing	Mae e'n:o'n / hi'n...	Mae e:o / hi wedi...	Roedd e'n:o'n / hi'n...	Roedd e:o / hi wedi...	Chwaraeodd e:o/hi	Bydd e'n:o'n / hi'n...	Basai e'n:o'n / hi'n...
1st pl	Rydyn ni'n...	Rydyn ni wedi...	Roedden ni'n...	Roedden ni wedi...	Chwaraeon ni	Byddwn ni'n...	Basen ni'n...
2nd pl	Rydych chi'n...	Rydych chi wedi...	Roeddech chi'n...	Roeddech chi wedi...	Chwaraeoch chi	Byddwch chi'n...	Basech chi'n...
3rd pl	Maen nhw'n...	Maen nhw wedi...	Roedden nhw'n...	Roedden nhw wedi...	Chwaraeon nhw	Byddan nhw'n...	Basen nhw'n...

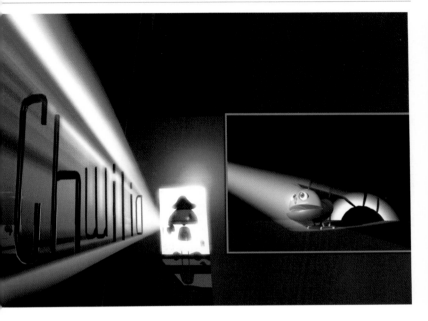

	Present	Perfect	Imperfect	Past perfect	Past	Future	Conditional
1st sing	Rydw i'n...	Rydw i wedi...	Roeddwn i'n...	Roeddwn i wedi...	Chwiliais i	Bydda i'n...	Baswn i'n...
2nd sing	Rwyt ti'n...	Rwyt ti wedi...	Roeddet ti'n...	Roeddet ti wedi...	Chwiliaist ti	Byddi di'n...	Baset ti'n...
3rd sing	Mae e'n:o'n / hi'n...	Mae e:o / hi wedi...	Roedd e'n:o'n / hi'n...	Roedd e:o / hi wedi...	Chwiliodd e:o/hi	Bydd e'n:o'n / hi'n...	Basai e'n:o'n / hi'n...
1st pl	Rydyn ni'n...	Rydyn ni wedi...	Roedden ni'n...	Roedden ni wedi...	Chwilion ni	Byddwn ni'n...	Basen ni'n...
2nd pl	Rydych chi'n...	Rydych chi wedi...	Roeddech chi'n...	Roeddech chi wedi...	Chwilioch chi	Byddwch chi'n...	Basech chi'n...
3rd pl	Maen nhw'n...	Maen nhw wedi...	Roedden nhw'n...	Roedden nhw wedi...	Chwilion nhw	Byddan nhw'n...	Basen nhw'n...

	Present	Perfect	Imperfect	Past perfect	Past	Future	Conditional
1st sing	Rydw i'n...	Rydw i wedi...	Roeddwn i'n...	Roeddwn i wedi...	Dangosais i	Bydda i'n...	Baswn i'n...
2nd sing	Rwyt ti'n...	Rwyt ti wedi...	Roeddet ti'n...	Roeddet ti wedi...	Dangosaist ti	Byddi di'n...	Baset ti'n...
3rd sing	Mae e'n:o'n / hi'n...	Mae e:o / hi wedi...	Roedd e'n:o'n / hi'n...	Roedd e:o / hi wedi...	Dangosodd e:o/hi	Bydd e'n:o'n / hi'n...	Basai e'n:o'n / hi'n...
1st pl	Rydyn ni'n...	Rydyn ni wedi...	Roedden ni'n...	Roedden ni wedi...	Dangoson ni	Byddwn ni'n...	Basen ni'n...
2nd pl	Rydych chi'n...	Rydych chi wedi...	Roeddech chi'n...	Roeddech chi wedi...	Dangosoch chi	Byddwch chi'n...	Basech chi'n...
3rd pl	Maen nhw'n...	Maen nhw wedi...	Roedden nhw'n...	Roedden nhw wedi...	Dangoson nhw	Byddan nhw'n...	Basen nhw'n...

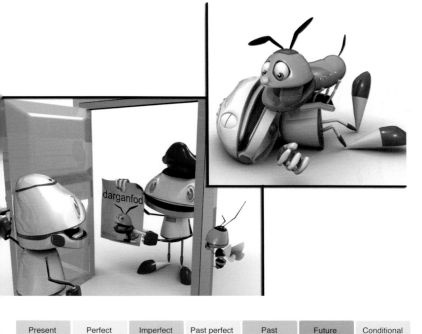

	Present	Perfect	Imperfect	Past perfect	Past	Future	Conditional
1st sing	Rydw i'n...	Rydw i wedi...	Roeddwn i'n...	Roeddwn i wedi...	Darganfydd-ais i	Bydda i'n...	Baswn i'n...
2nd sing	Rwyt ti'n...	Rwyt ti wedi...	Roeddet ti'n...	Roeddet ti wedi...	Darganfydd-aist ti	Byddi di'n...	Baset ti'n...
3rd sing	Mae e'n:o'n / hi'n...	Mae e:o / hi wedi...	Roedd e'n:o'n / hi'n...	Roedd e:o / hi wedi...	Darganfydd-odd e:o/hi	Bydd e'n:o'n / hi'n...	Basai e'n:o'n / hi'n...
1st pl	Rydyn ni'n...	Rydyn ni wedi...	Roedden ni'n...	Roedden ni wedi...	Darganfydd-on ni	Byddwn ni'n...	Basen ni'n...
2nd pl	Rydych chi'n...	Rydych chi wedi...	Roeddech chi'n...	Roeddech chi wedi...	Darganfydd-och chi	Byddwch chi'n...	Basech chi'n...
3rd pl	Maen nhw'n...	Maen nhw wedi...	Roedden nhw'n...	Roedden nhw wedi...	Darganfydd-on nhw	Byddan nhw'n...	Basen nhw'n...

	Present	Perfect	Imperfect	Past perfect	Past	Future	Conditional
1st sing	Rydw i'n...	Rydw i wedi...	Roeddwn i'n...	Roeddwn i wedi...	Darllenais i	Bydda i'n...	Baswn i'n...
2nd sing	Rwyt ti'n...	Rwyt ti wedi...	Roeddet ti'n...	Roeddet ti wedi...	Darllenaist ti	Byddi di'n...	Baset ti'n...
3rd sing	Mae e'n:o'n / hi'n...	Mae e:o / hi wedi...	Roedd e'n:o'n / hi'n...	Roedd e:o / hi wedi...	Darllenodd e:o/hi	Bydd e'n:o'n / hi'n...	Basai e'n:o'n / hi'n...
1st pl	Rydyn ni'n...	Rydyn ni wedi...	Roedden ni'n...	Roedden ni wedi...	Darllenon ni	Byddwn ni'n...	Basen ni'n...
2nd pl	Rydych chi'n...	Rydych chi wedi...	Roeddech chi'n...	Roeddech chi wedi...	Darllenoch chi	Byddwch chi'n...	Basech chi'n...
3rd pl	Maen nhw'n...	Maen nhw wedi...	Roedden nhw'n...	Roedden nhw wedi...	Darllenon nhw	Byddan nhw'n...	Basen nhw'n...

	Present	Perfect	Imperfect	Past perfect	Past	Future	Conditional
1st sing	Rydw i'n...	Rydw i wedi...	Roeddwn i'n...	Roeddwn i wedi...	Dawnsiais i	Bydda i'n...	Baswn i'n...
2nd sing	Rwyt ti'n...	Rwyt ti wedi...	Roeddet ti'n...	Roeddet ti wedi...	Dawnsiaist ti	Byddi di'n...	Baset ti'n...
3rd sing	Mae e'n:o'n / hi'n...	Mae e:o / hi wedi...	Roedd e'n:o'n / hi'n...	Roedd e:o / hi wedi...	Dawnsiodd e:o/hi	Bydd e'n:o'n / hi'n...	Basai e'n:o'n / hi'n...
1st pl	Rydyn ni'n...	Rydyn ni wedi...	Roedden ni'n...	Roedden ni wedi...	Dawnsion ni	Byddwn ni'n...	Basen ni'n...
2nd pl	Rydych chi'n...	Rydych chi wedi...	Roeddech chi'n...	Roeddech chi wedi...	Dawnsioch chi	Byddwch chi'n...	Basech chi'n...
3rd pl	Maen nhw'n...	Maen nhw wedi...	Roedden nhw'n...	Roedden nhw wedi...	Dawnsion nhw	Byddan nhw'n...	Basen nhw'n...

	Present	Perfect	Imperfect	Past perfect	Past	Future	Conditional
1st sing	Rydw i'n...	Rydw i wedi...	Roeddwn i'n...	Roeddwn i wedi...	Dechreuais i	Bydda i'n...	Baswn i'n...
2nd sing	Rwyt ti'n...	Rwyt ti wedi...	Roeddet ti'n...	Roeddet ti wedi...	Dechreuaist ti	Byddi di'n...	Baset ti'n...
3rd sing	Mae e'n:o'n / hi'n...	Mae e:o / hi wedi...	Roedd e'n:o'n / hi'n...	Roedd e:o / hi wedi...	Dechreuodd e:o/hi	Bydd e'n:o'n / hi'n...	Basai e'n:o'n / hi'n...
1st pl	Rydyn ni'n...	Rydyn ni wedi...	Roedden ni'n...	Roedden ni wedi...	Dechreuon ni	Byddwn ni'n...	Basen ni'n...
2nd pl	Rydych chi'n...	Rydych chi wedi...	Roeddech chi'n...	Roeddech chi wedi...	Dechreuoch chi	Byddwch chi'n...	Basech chi'n...
3rd pl	Maen nhw'n...	Maen nhw wedi...	Roedden nhw'n...	Roedden nhw wedi...	Dechreuon nhw	Byddan nhw'n...	Basen nhw'n...

	Present	Perfect	Imperfect	Past perfect	Past	Future	Conditional
st ng	Rydw i'n...	Rydw i wedi...	Roeddwn i'n...	Roeddwn i wedi...	Deffroais i	Bydda i'n...	Baswn i'n...
nd ng	Rwyt ti'n...	Rwyt ti wedi...	Roeddet ti'n...	Roeddet ti wedi...	Deffroaist ti	Byddi di'n...	Baset ti'n...
rd ng	Mae e'n:o'n / hi'n...	Mae e:o / hi wedi...	Roedd e'n:o'n / hi'n...	Roedd e:o / hi wedi...	Deffrodd e:o/hi	Bydd e'n:o'n / hi'n...	Basai e'n:o'n / hi'n...
st ɔl	Rydyn ni'n...	Rydyn ni wedi...	Roedden ni'n...	Roedden ni wedi...	Deffron ni	Byddwn ni'n...	Basen ni'n...
nd ɔl	Rydych chi'n...	Rydych chi wedi...	Roeddech chi'n...	Roeddech chi wedi...	Deffroch chi	Byddwch chi'n...	Basech chi'n...
rd ɔl	Maen nhw'n...	Maen nhw wedi...	Roedden nhw'n...	Roedden nhw wedi...	Deffron nhw	Byddan nhw'n...	Basen nhw'n...

	Present	Perfect	Imperfect	Past perfect	Past	Future	Conditional
1st sing	Rydw i'n...	Rydw i wedi...	Roeddwn i'n...	Roeddwn i wedi...	Derbyniais i	Bydda i'n...	Baswn i'n...
2nd sing	Rwyt ti'n...	Rwyt ti wedi...	Roeddet ti'n...	Roeddet ti wedi...	Derbyniaist ti	Byddi di'n...	Baset ti'n...
3rd sing	Mae e'n:o'n / hi'n...	Mae e:o / hi wedi...	Roedd e'n:o'n / hi'n...	Roedd e:o / hi wedi...	Derbyniodd e:o/hi	Bydd e'n:o'n / hi'n...	Basai e'n:o'n / hi'n...
1st pl	Rydyn ni'n...	Rydyn ni wedi...	Roedden ni'n...	Roedden ni wedi...	Derbynion ni	Byddwn ni'n...	Basen ni'n...
2nd pl	Rydych chi'n...	Rydych chi wedi...	Roeddech chi'n...	Roeddech chi wedi...	Derbynioch chi	Byddwch chi'n...	Basech chi'n...
3rd pl	Maen nhw'n...	Maen nhw wedi...	Roedden nhw'n...	Roedden nhw wedi...	Derbynion nhw	Byddan nhw'n...	Basen nhw'n...

	Present	Perfect	Imperfect	Past perfect	Past	Future	Conditional
1st sing	Rydw i'n...	Rydw i wedi...	Roeddwn i'n...	Roeddwn i wedi...	Dilynais i	Bydda i'n...	Baswn i'n...
2nd sing	Rwyt ti'n...	Rwyt ti wedi...	Roeddet ti'n...	Roeddet ti wedi...	Dilynaist ti	Byddi di'n...	Baset ti'n...
3rd sing	Mae e'n:o'n / hi'n...	Mae e:o / hi wedi...	Roedd e'n:o'n / hi'n...	Roedd e:o / hi wedi...	Dilynodd e:o/hi	Bydd e'n:o'n / hi'n...	Basai e'n:o'n / hi'n...
1st pl	Rydyn ni'n...	Rydyn ni wedi...	Roedden ni'n...	Roedden ni wedi...	Dilynon ni	Byddwn ni'n...	Basen ni'n...
2nd pl	Rydych chi'n...	Rydych chi wedi...	Roeddech chi'n...	Roeddech chi wedi...	Dilynoch chi	Byddwch chi'n...	Basech chi'n...
3rd pl	Maen nhw'n...	Maen nhw wedi...	Roedden nhw'n...	Roedden nhw wedi...	Dilynon nhw	Byddan nhw'n...	Basen nhw'n...

	Present	Perfect	Imperfect	Past perfect	Past	Future	Conditional
1st sing	Rydw i'n...	Rydw i wedi...	Roeddwn i'n...	Roeddwn i wedi...	Disgynnais i	Bydda i'n...	Baswn i'n...
2nd sing	Rwyt ti'n...	Rwyt ti wedi...	Roeddet ti'n...	Roeddet ti wedi...	Disgynnaist ti	Byddi di'n...	Baset ti'n...
3rd sing	Mae e'n:o'n / hi'n...	Mae e:o / hi wedi...	Roedd e'n:o'n / hi'n...	Roedd e:o / hi wedi...	Disgynnodd e:o/hi	Bydd e'n:o'n / hi'n...	Basai e'n:o'n / hi'n...
1st pl	Rydyn ni'n...	Rydyn ni wedi...	Roedden ni'n...	Roedden ni wedi...	Disgynnon ni	Byddwn ni'n...	Basen ni'n...
2nd pl	Rydych chi'n...	Rydych chi wedi...	Roeddech chi'n...	Roeddech chi wedi...	Disgynnoch chi	Byddwch chi'n...	Basech chi'n...
3rd pl	Maen nhw'n...	Maen nhw wedi...	Roedden nhw'n...	Roedden nhw wedi...	Disgynnon nhw	Byddan nhw'n...	Basen nhw'n...

	Present	Perfect	Imperfect	Past perfect	Past	Future	Conditional
1st sing	Rydw i'n...	Rydw i wedi...	Roeddwn i'n...	Roeddwn i wedi...	Des i	Bydda i'n...	Baswn i'n...
2nd sing	Rwyt ti'n...	Rwyt ti wedi...	Roeddet ti'n...	Roeddet ti wedi...	Daethost/ dest ti	Byddi di'n...	Baset ti'n...
3rd sing	Mae e'n:o'n / hi'n...	Mae e:o / hi wedi...	Roedd e'n:o'n / hi'n...	Roedd e:o / hi wedi...	Daeth e:o/hi	Bydd e'n:o'n / hi'n...	Basai e'n:o'n / hi'n...
1st pl	Rydyn ni'n...	Rydyn ni wedi...	Roedden ni'n...	Roedden ni wedi...	Daethon ni	Byddwn ni'n...	Basen ni'n...
2nd pl	Rydych chi'n...	Rydych chi wedi...	Roeddech chi'n...	Roeddech chi wedi...	Daethoch chi	Byddwch chi'n...	Basech chi'n...
3rd pl	Maen nhw'n...	Maen nhw wedi...	Roedden nhw'n...	Roedden nhw wedi...	Daethon nhw	Byddan nhw'n...	Basen nhw'n...

	Present	Perfect	Imperfect	Past perfect	Past	Future	Conditional
1st sing	Rydw i'n...	Rydw i wedi...	Roeddwn i'n...	Roeddwn i wedi...	Des i â	Bydda i'n...	Baswn i'n...
2nd sing	Rwyt ti'n...	Rwyt ti wedi...	Roeddet ti'n...	Roeddet ti wedi...	Dest ti â	Byddi di'n...	Baset ti'n...
3rd sing	Mae e'n:o'n / hi'n...	Mae e:o / hi wedi...	Roedd e'n:o'n / hi'n...	Roedd e:o / hi wedi...	Daeth e:o/ hi â	Bydd e'n:o'n / hi'n...	Basai e'n:o'n / hi'n...
1st pl	Rydyn ni'n...	Rydyn ni wedi...	Roedden ni'n...	Roedden ni wedi...	Daethon ni â	Byddwn ni'n...	Basen ni'n...
2nd pl	Rydych chi'n...	Rydych chi wedi...	Roeddech chi'n...	Roeddech chi wedi...	Daethoch chi â	Byddwch chi'n...	Basech chi'n...
3rd pl	Maen nhw'n...	Maen nhw wedi...	Roedden nhw'n...	Roedden nhw wedi...	Daethon nhw â	Byddan nhw'n...	Basen nhw'n...

	Present	Perfect	Imperfect	Past perfect	Past	Future	Conditional
st ng	Rydw i'n...	Rydw i wedi...	Roeddwn i'n...	Roeddwn i wedi...	Dywedais i gelwydd	Bydda i'n...	Baswn i'n...
nd ng	Rwyt ti'n...	Rwyt ti wedi...	Roeddet ti'n...	Roeddet ti wedi...	Dywedaist ti gelwydd	Byddi di'n...	Baset ti'n...
rd ng	Mae e'n:o'n / hi'n...	Mae e:o / hi wedi...	Roedd e'n:o'n / hi'n...	Roedd e:o / hi wedi...	Dywedodd e:o/hi gelwydd	Bydd e'n:o'n / hi'n...	Basai e'n:o'n / hi'n...
st ol	Rydyn ni'n...	Rydyn ni wedi...	Roedden ni'n...	Roedden ni wedi...	Dywedon ni gelwydd	Byddwn ni'n...	Basen ni'n...
nd ol	Rydych chi'n...	Rydych chi wedi...	Roeddech chi'n...	Roeddech chi wedi...	Dywedoch chi gelwydd	Byddwch chi'n...	Basech chi'n...
rd ol	Maen nhw'n...	Maen nhw wedi...	Roedden nhw'n...	Roedden nhw wedi...	Dywedon nhw gelwydd	Byddan nhw'n...	Basen nhw'n...

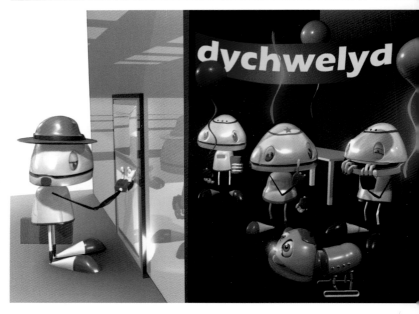

	Present	Perfect	Imperfect	Past perfect	Past	Future	Conditional
1st sing	Rydw i'n...	Rydw i wedi...	Roeddwn i'n...	Roeddwn i wedi...	Dychwelais i	Bydda i'n...	Baswn i'n...
2nd sing	Rwyt ti'n...	Rwyt ti wedi...	Roeddet ti'n...	Roeddet ti wedi...	Dychwel-aist ti	Byddi di'n...	Baset ti'n...
3rd sing	Mae e'n:o'n / hi'n...	Mae e:o / hi wedi...	Roedd e'n:o'n / hi'n...	Roedd e:o / hi wedi...	Dychwelodd e:o/hi	Bydd e'n:o'n / hi'n...	Basai e'n:o'n / hi'n...
1st pl	Rydyn ni'n...	Rydyn ni wedi...	Roedden ni'n...	Roedden ni wedi...	Dychwelon ni	Byddwn ni'n...	Basen ni'n...
2nd pl	Rydych chi'n...	Rydych chi wedi...	Roeddech chi'n...	Roeddech chi wedi...	Dychweloch chi	Byddwch chi'n...	Basech chi'n...
3rd pl	Maen nhw'n...	Maen nhw wedi...	Roedden nhw'n...	Roedden nhw wedi...	Dychwelon nhw	Byddan nhw'n...	Basen nhw'n...

Present	Perfect	Imperfect	Past perfect	Past	Future	Conditional
Rydw i'n...	Rydw i wedi...	Roeddwn i'n...	Roeddwn i wedi...	Dysgais i	Bydda i'n...	Baswn i'n...
Rwyt ti'n...	Rwyt ti wedi...	Roeddet ti'n...	Roeddet ti wedi...	Dysgaist ti	Byddi di'n...	Baset ti'n...
Mae e'n:o'n / hi'n...	Mae e:o / hi wedi...	Roedd e'n:o'n / hi'n...	Roedd e:o / hi wedi...	Dysgodd e:o/hi	Bydd e'n:o'n / hi'n...	Basai e'n:o'n / hi'n...
Rydyn ni'n...	Rydyn ni wedi...	Roedden ni'n...	Roedden ni wedi...	Dysgon ni	Byddwn ni'n...	Basen ni'n...
Rydych chi'n...	Rydych chi wedi...	Roeddech chi'n...	Roeddech chi wedi...	Dysgoch chi	Byddwch chi'n...	Basech chi'n...
Maen nhw'n...	Maen nhw wedi...	Roedden nhw'n...	Roedden nhw wedi...	Dysgon nhw	Byddan nhw'n...	Basen nhw'n...

	Present	Perfect	Imperfect	Past perfect	Past	Future	Conditiona
1st sing	Rydw i ...	Would not normally use	Roeddwn i...	Roeddwn i wedi bod...	Use the Imperfect	Bydda i...	Baswn i...
2nd sing	Rwyt ti ...		Roeddet ti...	Roeddet ti wedi bod...		Byddi di...	Baset ti...
3rd sing	Mae e:o / hi...		Roedd e:o / hi...	Roedd e:o / hi wedi bod...		Bydd e:o / hi...	Basaie:o / hi...
1st pl	Rydyn ni...		Roedden ni...	Roedden ni wedi bod...		Byddwn ni...	Basen ni...
2nd pl	Rydych chi...		Roeddech chi...	Roeddech chi wedi bod...		Byddwch chi...	Basech chi...
3rd pl	Maen nhw...		Roedden nhw...	Roedden nhw wedi bod...		Byddan nhw...	Basen nhw.

	Present	Perfect	Imperfect	Past perfect	Past	Future	Conditional
	Rydw i'n...	Rydw i wedi...	Roeddwn i'n...	Roeddwn i wedi...	Eisteddais i	Bydda i'n...	Baswn i'n...
	Rwyt ti'n...	Rwyt ti wedi...	Roeddet ti'n...	Roeddet ti wedi...	Eisteddaist ti	Byddi di'n...	Baset ti'n...
	Mae e'n:o'n / hi'n...	Mae e:o / hi wedi...	Roedd e'n:o'n / hi'n...	Roedd e:o / hi wedi...	Eisteddodd e:o/hi	Bydd e'n:o'n / hi'n...	Basai e'n:o'n / hi'n...
	Rydyn ni'n...	Rydyn ni wedi...	Roedden ni'n...	Roedden ni wedi...	Eisteddon ni	Byddwn ni'n...	Basen ni'n...
	Rydych chi'n...	Rydych chi wedi...	Roeddech chi'n...	Roeddech chi wedi...	Eisteddoch chi	Byddwch chi'n...	Basech chi'n...
	Maen nhw'n...	Maen nhw wedi...	Roedden nhw'n...	Roedden nhw wedi...	Eisteddon nhw	Byddan nhw'n...	Basen nhw'n...

	Present	Perfect	Imperfect	Past perfect	Past	Future	Conditional
1st sing	Rydw i'n...	Rydw i wedi...	Roeddwn i'n...	Roeddwn i wedi...	Enillais i	Bydda i'n...	Baswn i'n...
2nd sing	Rwyt ti'n...	Rwyt ti wedi...	Roeddet ti'n...	Roeddet ti wedi...	Enillaist ti	Byddi di'n...	Baset ti'n...
3rd sing	Mae e'n:o'n / hi'n...	Mae e:o / hi wedi...	Roedd e'n:o'n / hi'n...	Roedd e:o / hi wedi...	Enillodd e:o/hi	Bydd e'n:o'n / hi'n...	Basai e'n:o'n / hi'n...
1st pl	Rydyn ni'n...	Rydyn ni wedi...	Roedden ni'n...	Roedden ni wedi...	Enillon ni	Byddwn ni'n...	Basen ni'n...
2nd pl	Rydych chi'n...	Rydych chi wedi...	Roeddech chi'n...	Roeddech chi wedi...	Enilloch chi	Byddwch chi'n...	Basech chi'n...
3rd pl	Maen nhw'n...	Maen nhw wedi...	Roedden nhw'n...	Roedden nhw wedi...	Enillon nhw	Byddan nhw'n...	Basen nhw'n...

Present	Perfect	Imperfect	Past perfect	Past	Future	Conditional
Rydw i'n...	Rydw i wedi...	Roeddwn i'n...	Roeddwn i wedi...	Ffarweliais i	Bydda i'n...	Baswn i'n...
Rwyt ti'n...	Rwyt ti wedi...	Roeddet ti'n...	Roeddet ti wedi...	Ffarweliaist ti	Byddi di'n...	Baset ti'n...
Mae e'n:o'n / hi'n...	Mae e:o / hi wedi...	Roedd e'n:o'n / hi'n...	Roedd e:o / hi wedi...	Ffarweliodd e:o/hi	Bydd e'n:o'n / hi'n...	Basai e'n:o'n / hi'n...
Rydyn ni'n...	Rydyn ni wedi...	Roedden ni'n...	Roedden ni wedi...	Ffarwelion ni	Byddwn ni'n...	Basen ni'n...
Rydych chi'n...	Rydych chi wedi...	Roeddech chi'n...	Roeddech chi wedi...	Ffarwelioch chi	Byddwch chi'n...	Basech chi'n...
Maen nhw'n...	Maen nhw wedi...	Roedden nhw'n...	Roedden nhw wedi...	Ffarwelion nhw	Byddan nhw'n...	Basen nhw'n...

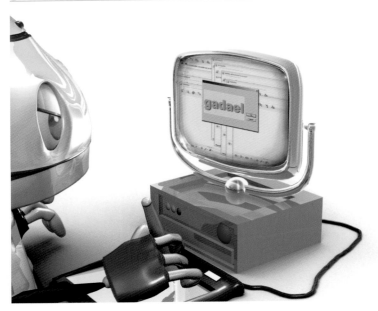

	Present	Perfect	Imperfect	Past perfect	Past	Future	Condition...
1st sing	Rydw i'n...	Rydw i wedi...	Roeddwn i'n...	Roeddwn i wedi...	Gadewais i	Bydda i'n...	Baswn i'n...
2nd sing	Rwyt ti'n...	Rwyt ti wedi...	Roeddet ti'n...	Roeddet ti wedi...	Gadewaist ti	Byddi di'n...	Baset ti'n...
3rd sing	Mae e'n:o'n / hi'n...	Mae e:o / hi wedi...	Roedd e'n:o'n / hi'n...	Roedd e:o / hi wedi...	Gadawodd e:o/hi	Bydd e'n:o'n / hi'n...	Basai e'n:o / hi'n...
1st pl	Rydyn ni'n...	Rydyn ni wedi...	Roedden ni'n...	Roedden ni wedi...	Gadawon ni	Byddwn ni'n...	Basen ni'n...
2nd pl	Rydych chi'n...	Rydych chi wedi...	Roeddech chi'n...	Roeddech chi wedi...	Gadawoch chi	Byddwch chi'n...	Basech chi'n...
3rd pl	Maen nhw'n...	Maen nhw wedi...	Roedden nhw'n...	Roedden nhw wedi...	Gadawon nhw	Byddan nhw'n...	Basen nhw'n...

	Present	Perfect	Imperfect	Past perfect	Past	Future	Conditional
st ag	Rydw i'n...	Rydw i wedi...	Roeddwn i'n...	Roeddwn i wedi...	Gallais i	Bydda i'n...	Baswn i'n...
d ag	Rwyt ti'n...	Rwyt ti wedi...	Roeddet ti'n...	Roeddet ti wedi...	Gallaist ti	Byddi di'n...	Baset ti'n...
d ag	Mae e'n:o'n / hi'n...	Mae e:o / hi wedi...	Roedd e'n:o'n / hi'n...	Roedd e:o / hi wedi...	Gallodd e:o/hi	Bydd e'n:o'n / hi'n...	Basai e'n:o'n / hi'n...
st l	Rydyn ni'n...	Rydyn ni wedi...	Roedden ni'n...	Roedden ni wedi...	Gallon ni	Byddwn ni'n...	Basen ni'n...
d l	Rydych chi'n...	Rydych chi wedi...	Roeddech chi'n...	Roeddech chi wedi...	Galloch chi	Byddwch chi'n...	Basech chi'n...
d l	Maen nhw'n...	Maen nhw wedi...	Roedden nhw'n...	Roedden nhw wedi...	Gallon nhw	Byddan nhw'n...	Basen nhw'n...

	Present	Perfect	Imperfect	Past perfect	Past	Future	Conditional
1st sing	Rydw i'n...	Rydw i wedi...	Roeddwn i'n...	Roeddwn i wedi...	Galwais i	Bydda i'n...	Baswn i'n...
2nd sing	Rwyt ti'n...	Rwyt ti wedi...	Roeddet ti'n...	Roeddet ti wedi...	Galwaist ti	Byddi di'n...	Baset ti'n...
3rd sing	Mae e'n:o'n / hi'n...	Mae e:o / hi wedi...	Roedd e'n:o'n / hi'n...	Roedd e:o / hi wedi...	Galwodd e:o/hi	Bydd e'n:o'n / hi'n...	Basai e'n:o'n / hi'n...
1st pl	Rydyn ni'n...	Rydyn ni wedi...	Roedden ni'n...	Roedden ni wedi...	Galwon ni	Byddwn ni'n...	Basen ni'n...
2nd pl	Rydych chi'n...	Rydych chi wedi...	Roeddech chi'n...	Roeddech chi wedi...	Galwoch chi	Byddwch chi'n...	Basech chi'n...
3rd pl	Maen nhw'n...	Maen nhw wedi...	Roedden nhw'n...	Roedden nhw wedi...	Galwon nhw	Byddan nhw'n...	Basen nhw'n...

	Present	Perfect	Imperfect	Past perfect	Past	Future	Conditional
1st sing	Rydw i'n...	Rydw i wedi...	Roeddwn i'n...	Roeddwn i wedi...	Glanheais i	Bydda i'n...	Baswn i'n...
2nd sing	Rwyt ti'n...	Rwyt ti wedi...	Roeddet ti'n...	Roeddet ti wedi...	Glanheaist ti	Byddi di'n...	Baset ti'n...
3rd sing	Mae e'n:o'n / hi'n...	Mae e:o / hi wedi...	Roedd e'n:o'n / hi'n...	Roedd e:o / hi wedi...	Glanhaodd e:o/hi	Bydd e'n:o'n / hi'n...	Basai e'n:o'n / hi'n...
1st pl	Rydyn ni'n...	Rydyn ni wedi...	Roedden ni'n...	Roedden ni wedi...	Glanhaon ni	Byddwn ni'n...	Basen ni'n...
2nd pl	Rydych chi'n...	Rydych chi wedi...	Roeddech chi'n...	Roeddech chi wedi...	Glanhaoch chi	Byddwch chi'n...	Basech chi'n...
3rd pl	Maen nhw'n...	Maen nhw wedi...	Roedden nhw'n...	Roedden nhw wedi...	Glanhaon nhw	Byddan nhw'n...	Basen nhw'n...

	Present	Perfect	Imperfect	Past perfect	Past	Future	Conditional
1st sing	Rydw i'n...	Rydw i wedi...	Roeddwn i'n...	Roeddwn i wedi...	Gofynnais i am	Bydda i'n...	Baswn i'n...
2nd sing	Rwyt ti'n...	Rwyt ti wedi...	Roeddet ti'n...	Roeddet ti wedi...	Gofynnaist ti am	Byddi di'n...	Baset ti'n...
3rd sing	Mae e'n:o'n / hi'n...	Mae e:o / hi wedi...	Roedd e'n:o'n / hi'n...	Roedd e:o / hi wedi...	Gofynnodd e:o/hi am	Bydd e'n:o'n / hi'n...	Basai e'n:o'n / hi'n...
1st pl	Rydyn ni'n...	Rydyn ni wedi...	Roedden ni'n...	Roedden ni wedi...	Gofynnon ni am	Byddwn ni'n...	Basen ni'n...
2nd pl	Rydych chi'n...	Rydych chi wedi...	Roeddech chi'n...	Roeddech chi wedi...	Gofynnoch chi am	Byddwch chi'n...	Basech chi'n...
3rd pl	Maen nhw'n...	Maen nhw wedi...	Roedden nhw'n...	Roedden nhw wedi...	Gofynnon nhw am	Byddan nhw'n...	Basen nhw'n...

	Present	Perfect	Imperfect	Past perfect	Past	Future	Conditional
st ng	Rydw i'n...	Rydw i wedi...	Roeddwn i'n...	Roeddwn i wedi...	Gorffennais i	Bydda i'n...	Baswn i'n...
nd ng	Rwyt ti'n...	Rwyt ti wedi...	Roeddet ti'n...	Roeddet ti wedi...	Gorffen-naist ti	Byddi di'n...	Baset ti'n...
rd ng	Mae e'n:o'n / hi'n...	Mae e:o / hi wedi...	Roedd e'n:o'n / hi'n...	Roedd e:o / hi wedi...	Gorffennodd e:o/hi	Bydd e'n:o'n / hi'n...	Basai e'n:o'n / hi'n...
st l	Rydyn ni'n...	Rydyn ni wedi...	Roedden ni'n...	Roedden ni wedi...	Gorffennon ni	Byddwn ni'n...	Basen ni'n...
nd l	Rydych chi'n...	Rydych chi wedi...	Roeddech chi'n...	Roeddech chi wedi...	Gorffennoch chi	Byddwch chi'n...	Basech chi'n...
rd l	Maen nhw'n...	Maen nhw wedi...	Roedden nhw'n...	Roedden nhw wedi...	Gorffennon nhw	Byddan nhw'n...	Basen nhw'n...

	Present	Perfect	Imperfect	Past perfect	Past	Future	Conditional
1st sing	Rydw i'n...	Rydw i wedi...	Roeddwn i'n...	Roeddwn i wedi...	Gosodais i	Bydda i'n...	Baswn i'n...
2nd sing	Rwyt ti'n...	Rwyt ti wedi...	Roeddet ti'n...	Roeddet ti wedi...	Gosodaist ti	Byddi di'n...	Baset ti'n...
3rd sing	Mae e'n:o'n / hi'n...	Mae e:o / hi wedi...	Roedd e'n:o'n / hi'n...	Roedd e:o / hi wedi...	Gosododd e:o/hi	Bydd e'n:o'n / hi'n...	Basai e'n:o'n / hi'n...
1st pl	Rydyn ni'n...	Rydyn ni wedi...	Roedden ni'n...	Roedden ni wedi...	Gosodon ni	Byddwn ni'n...	Basen ni'n...
2nd pl	Rydych chi'n...	Rydych chi wedi...	Roeddech chi'n...	Roeddech chi wedi...	Gosodoch chi	Byddwch chi'n...	Basech chi'n...
3rd pl	Maen nhw'n...	Maen nhw wedi...	Roedden nhw'n...	Roedden nhw wedi...	Gosodon nhw	Byddan nhw'n...	Basen nhw'n...

	Present	Perfect	Imperfect	Past perfect	Past	Future	Conditional
1st sing	Rydw i'n...	Rydw i wedi...	Roeddwn i'n...	Roeddwn i wedi...	Gwahanais i	Bydda i'n...	Baswn i'n...
2nd sing	Rwyt ti'n...	Rwyt ti wedi...	Roeddet ti'n...	Roeddet ti wedi...	Gwaha-naist ti	Byddi di'n...	Baset ti'n...
3rd sing	Mae e'n:o'n / hi'n...	Mae e:o / hi wedi...	Roedd e'n:o'n / hi'n...	Roedd e:o / hi wedi...	Gwahanodd e:o/hi	Bydd e'n:o'n / hi'n...	Basai e'n:o'n / hi'n...
1st pl	Rydyn ni'n...	Rydyn ni wedi...	Roedden ni'n...	Roedden ni wedi...	Gwahanon ni	Byddwn ni'n...	Basen ni'n...
2nd pl	Rydych chi'n...	Rydych chi wedi...	Roeddech chi'n...	Roeddech chi wedi...	Gwahanoch chi	Byddwch chi'n...	Basech chi'n...
3rd pl	Maen nhw'n...	Maen nhw wedi...	Roedden nhw'n...	Roedden nhw wedi...	Gwahanon nhw	Byddan nhw'n...	Basen nhw'n...

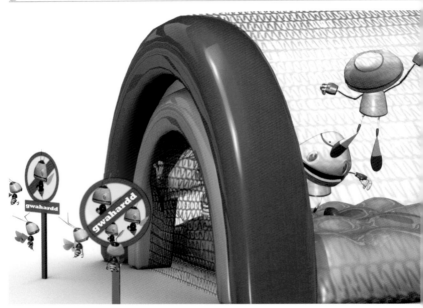

	Present	Perfect	Imperfect	Past perfect	Past	Future	Conditional
1st sing	Rydw i'n...	Rydw i wedi...	Roeddwn i'n...	Roeddwn i wedi...	Gwahardd-ais i	Bydda i'n...	Baswn i'n...
2nd sing	Rwyt ti'n...	Rwyt ti wedi...	Roeddet ti'n...	Roeddet ti wedi...	Gwahardd-aist ti	Byddi di'n...	Baset ti'n...
3rd sing	Mae e'n:o'n / hi'n...	Mae e:o / hi wedi...	Roedd e'n:o'n / hi'n...	Roedd e:o / hi wedi...	Gwahardd-odd e:o/hi	Bydd e'n:o'n / hi'n...	Basai e'n:o'n / hi'n...
1st pl	Rydyn ni'n...	Rydyn ni wedi...	Roedden ni'n...	Roedden ni wedi...	Gwahardd-on ni	Byddwn ni'n...	Basen ni'n...
2nd pl	Rydych chi'n...	Rydych chi wedi...	Roeddech chi'n...	Roeddech chi wedi...	Gwahardd-och chi	Byddwch chi'n...	Basech chi'n...
3rd pl	Maen nhw'n...	Maen nhw wedi...	Roedden nhw'n...	Roedden nhw wedi...	Gwaharddon nhw	Byddan nhw'n...	Basen nhw'n...

	Present	Perfect	Imperfect	Past perfect	Past	Future	Conditional
1st sing	Rydw i'n...	Rydw i wedi...	Roeddwn i'n...	Roeddwn i wedi...	Gwelais i	Bydda i'n...	Baswn i'n...
2nd sing	Rwyt ti'n...	Rwyt ti wedi...	Roeddet ti'n...	Roeddet ti wedi...	Gwelaist ti	Byddi di'n...	Baset ti'n...
3rd sing	Mae e'n:o'n / hi'n...	Mae e:o / hi wedi...	Roedd e'n:o'n / hi'n...	Roedd e:o / hi wedi...	Gwelodd e:o/hi	Bydd e'n:o'n / hi'n...	Basai e'n:o'n / hi'n...
1st pl	Rydyn ni'n...	Rydyn ni wedi...	Roedden ni'n...	Roedden ni wedi...	Gwelon ni	Byddwn ni'n...	Basen ni'n...
2nd pl	Rydych chi'n...	Rydych chi wedi...	Roeddech chi'n...	Roeddech chi wedi...	Gweloch chi	Byddwch chi'n...	Basech chi'n...
3rd pl	Maen nhw'n...	Maen nhw wedi...	Roedden nhw'n...	Roedden nhw wedi...	Gwelon nhw	Byddan nhw'n...	Basen nhw'n...

	Present	Perfect	Imperfect	Past perfect	Past	Future	Conditional
1st sing	Rydw i'n...	Rydw i wedi...	Roeddwn i'n...	Roeddwn i wedi...	Gwisgais i	Bydda i'n...	Baswn i'n...
2nd sing	Rwyt ti'n...	Rwyt ti wedi...	Roeddet ti'n...	Roeddet ti wedi...	Gwisgaist ti	Byddi di'n...	Baset ti'n...
3rd sing	Mae e'n:o'n / hi'n...	Mae e:o / hi wedi...	Roedd e'n:o'n / hi'n...	Roedd e:o / hi wedi...	Gwisgodd e:o/hi	Bydd e'n:o'n / hi'n...	Basai e'n:o'n / hi'n...
1st pl	Rydyn ni'n...	Rydyn ni wedi...	Roedden ni'n...	Roedden ni wedi...	Gwisgon ni	Byddwn ni'n...	Basen ni'n...
2nd pl	Rydych chi'n...	Rydych chi wedi...	Roeddech chi'n...	Roeddech chi wedi...	Gwisgoch chi	Byddwch chi'n...	Basech chi'n...
3rd pl	Maen nhw'n...	Maen nhw wedi...	Roedden nhw'n...	Roedden nhw wedi...	Gwisgon nhw	Byddan nhw'n...	Basen nhw'n...

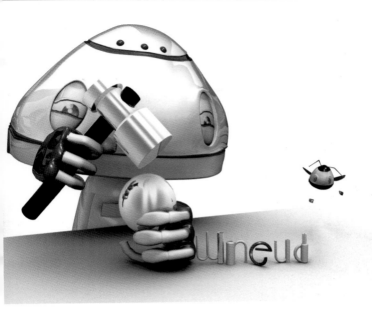

	Present	Perfect	Imperfect	Past perfect	Past	Future	Conditional
1st sing	Rydw i'n...	Rydw i wedi...	Roeddwn i'n...	Roeddwn i wedi...	Gwnes i	Bydda i'n...	Baswn i'n...
2nd sing	Rwyt ti'n...	Rwyt ti wedi...	Roeddet ti'n...	Roeddet ti wedi...	Gwnaethost/ Gwnest ti	Byddi di'n...	Baset ti'n...
3rd sing	Mae e'n:o'n / hi'n...	Mae e:o / hi wedi...	Roedd e'n:o'n / hi'n...	Roedd e:o / hi wedi...	Gwnaeth e:o/hi	Bydd e'n:o'n / hi'n...	Basai e'n:o'n / hi'n...
1st pl	Rydyn ni'n...	Rydyn ni wedi...	Roedden ni'n...	Roedden ni wedi...	Gwnae-thon ni	Byddwn ni'n...	Basen ni'n...
2nd pl	Rydych chi'n...	Rydych chi wedi...	Roeddech chi'n...	Roeddech chi wedi...	Gwnaethoch chi	Byddwch chi'n...	Basech chi'n...
3rd pl	Maen nhw'n...	Maen nhw wedi...	Roedden nhw'n...	Roedden nhw wedi...	Gwnaethon nhw	Byddan nhw'n...	Basen nhw'n...

	Present	Perfect	Imperfect	Past perfect	Past	Future	Conditional
1st sing	Rydw i'n...	Rydw i wedi...	Roeddwn i'n...	Roeddwn i wedi...	Use the Imperfect	Bydda i'n...	Baswn i'n...
2nd sing	Rwyt ti'n...	Rwyt ti wedi...	Roeddet ti'n...	Roeddet ti wedi...		Byddi di'n...	Baset ti'n...
3rd sing	Mae e'n:o'n / hi'n...	Mae e:o / hi wedi...	Roedd e'n:o'n / hi'n...	Roedd e:o / hi wedi...		Bydd e'n:o'n / hi'n...	Basai e'n:o'n / hi'n...
1st pl	Rydyn ni'n...	Rydyn ni wedi...	Roedden ni'n...	Roedden ni wedi...		Byddwn ni'n...	Basen ni'n...
2nd pl	Rydych chi'n...	Rydych chi wedi...	Roeddech chi'n...	Roeddech chi wedi...		Byddwch chi'n...	Basech chi'n...
3rd pl	Maen nhw'n...	Maen nhw wedi...	Roedden nhw'n...	Roedden nhw wedi...		Byddan nhw'n...	Basen nhw'n...

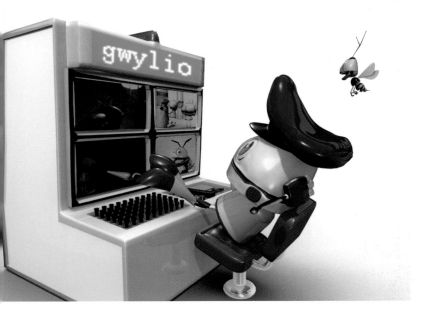

	Present	Perfect	Imperfect	Past perfect	Past	Future	Conditional
1st sing	Rydw i'n...	Rydw i wedi...	Roeddwn i'n...	Roeddwn i wedi...	Gwyliais i	Bydda i'n...	Baswn i'n...
2nd sing	Rwyt ti'n...	Rwyt ti wedi...	Roeddet ti'n...	Roeddet ti wedi...	Gwyliaist ti	Byddi di'n...	Baset ti'n...
3rd sing	Mae e'n:o'n / hi'n...	Mae e:o / hi wedi...	Roedd e'n:o'n / hi'n...	Roedd e:o / hi wedi...	Gwyliodd e:o/hi	Bydd e'n:o'n / hi'n...	Basai e'n:o'n / hi'n...
1st pl	Rydyn ni'n...	Rydyn ni wedi...	Roedden ni'n...	Roedden ni wedi...	Gwylion ni	Byddwn ni'n...	Basen ni'n...
2nd pl	Rydych chi'n...	Rydych chi wedi...	Roeddech chi'n...	Roeddech chi wedi...	Gwylioch chi	Byddwch chi'n...	Basech chi'n...
3rd pl	Maen nhw'n...	Maen nhw wedi...	Roedden nhw'n...	Roedden nhw wedi...	Gwylion nhw	Byddan nhw'n...	Basen nhw'n...

	Present	Perfect	Imperfect	Past perfect	Past	Future	Conditional
1st sing	Rydw i'n...	Rydw i wedi...	Roeddwn i'n...	Roeddwn i wedi...	Gyrrais i	Bydda i'n...	Baswn i'n...
2nd sing	Rwyt ti'n...	Rwyt ti wedi...	Roeddet ti'n...	Roeddet ti wedi...	Gyrraist ti	Byddi di'n...	Baset ti'n...
3rd sing	Mae e'n:o'n / hi'n...	Mae e:o / hi wedi...	Roedd e'n:o'n / hi'n...	Roedd e:o / hi wedi...	Gyrrodd e:o/hi	Bydd e'n:o'n / hi'n...	Basai e'n:o'n / hi'n...
1st pl	Rydyn ni'n...	Rydyn ni wedi...	Roedden ni'n...	Roedden ni wedi...	Gyrron ni	Byddwn ni'n...	Basen ni'n...
2nd pl	Rydych chi'n...	Rydych chi wedi...	Roeddech chi'n...	Roeddech chi wedi...	Gyrroch chi	Byddwch chi'n...	Basech chi'n...
3rd pl	Maen nhw'n...	Maen nhw wedi...	Roedden nhw'n...	Roedden nhw wedi...	Gyrron nhw	Byddan nhw'n...	Basen nhw'n...

	Present	Perfect	Imperfect	Past perfect	Past	Future	Conditional
1st sing	Rydw i'n...	Rydw i wedi...	Roeddwn i'n...	Roeddwn i wedi...	Hedfanais i	Bydda i'n...	Baswn i'n...
2nd sing	Rwyt ti'n...	Rwyt ti wedi...	Roeddet ti'n...	Roeddet ti wedi...	Hedfanaist ti	Byddi di'n...	Baset ti'n...
3rd sing	Mae e'n:o'n / hi'n...	Mae e:o / hi wedi...	Roedd e'n:o'n / hi'n...	Roedd e:o / hi wedi...	Hedfanodd e:o/hi	Bydd e'n:o'n / hi'n...	Basai e'n:o'n / hi'n...
1st pl	Rydyn ni'n...	Rydyn ni wedi...	Roedden ni'n...	Roedden ni wedi...	Hedfanon ni	Byddwn ni'n...	Basen ni'n...
2nd pl	Rydych chi'n...	Rydych chi wedi...	Roeddech chi'n...	Roeddech chi wedi...	Hedfanoch chi	Byddwch chi'n...	Basech chi'n...
3rd pl	Maen nhw'n...	Maen nhw wedi...	Roedden nhw'n...	Roedden nhw wedi...	Hedfanon nhw	Byddan nhw'n...	Basen nhw'n...

	Present	Perfect	Imperfect	Past perfect	Past	Future	Conditional
1st sing	Rydw i'n...	Rydw i wedi...	Roeddwn i'n...	Roeddwn i wedi...	Hoffais i	Bydda i'n...	Baswn i'n...
2nd sing	Rwyt ti'n...	Rwyt ti wedi...	Roeddet ti'n...	Roeddet ti wedi...	Hoffaist ti	Byddi di'n...	Baset ti'n...
3rd sing	Mae e:n:o'n / hi'n...	Mae e:o / hi wedi...	Roedd e:n:o'n / hi'n...	Roedd e:o / hi wedi...	Hoffodd e:o/hi	Bydd e:n:o'n / hi'n...	Basai e:n:o'n / hi'n...
1st pl	Rydyn ni'n...	Rydyn ni wedi...	Roedden ni'n...	Roedden ni wedi...	Hoffon ni	Byddwn ni'n...	Basen ni'n...
2nd pl	Rydych chi'n...	Rydych chi wedi...	Roeddech chi'n...	Roeddech chi wedi...	Hoffoch chi	Byddwch chi'n...	Basech chi'n...
3rd pl	Maen nhw'n...	Maen nhw wedi...	Roedden nhw'n...	Roedden nhw wedi...	Hoffon nhw	Byddan nhw'n...	Basen nhw'n...

	Present	Perfect	Imperfect	Past perfect	Past	Future	Conditional
1st sing	Rydw i'n...	Rydw i wedi...	Roeddwn i'n...	Roeddwn i wedi...	Meddyliais i	Bydda i'n...	Baswn i'n...
2nd sing	Rwyt ti'n...	Rwyt ti wedi...	Roeddet ti'n...	Roeddet ti wedi...	Meddyliaist ti	Byddi di'n...	Baset ti'n...
3rd sing	Mae e'n:o'n / hi'n...	Mae e:o / hi wedi...	Roedd e'n:o'n / hi'n...	Roedd e:o / hi wedi...	Meddyliodd e:o/hi	Bydd e'n:o'n / hi'n...	Basai e'n:o'n / hi'n...
1st pl	Rydyn ni'n...	Rydyn ni wedi...	Roedden ni'n...	Roedden ni wedi...	Meddylion ni	Byddwn ni'n...	Basen ni'n...
2nd pl	Rydych chi'n...	Rydych chi wedi...	Roeddech chi'n...	Roeddech chi wedi...	Meddylioch chi	Byddwch chi'n...	Basech chi'n...
3rd pl	Maen nhw'n...	Maen nhw wedi...	Roedden nhw'n...	Roedden nhw wedi...	Meddylion nhw	Byddan nhw'n...	Basen nhw'n...

	Present	Perfect	Imperfect	Past perfect	Past	Future	Conditional
1st sing	Rydw i'n...	Rydw i wedi...	Roeddwn i'n...	Roeddwn i wedi...	Es i	Bydda i'n...	Baswn i'n...
2nd sing	Rwyt ti'n...	Rwyt ti wedi...	Roeddet ti'n...	Roeddet ti wedi...	Aethost/Est ti	Byddi di'n...	Baset ti'n...
3rd sing	Mae e'n:o'n / hi'n...	Mae e:o / hi wedi...	Roedd e'n:o'n / hi'n...	Roedd e:o / hi wedi...	Aeth e:o/hi	Bydd e'n:o'n / hi'n...	Basai e'n:o'n / hi'n...
1st pl	Rydyn ni'n...	Rydyn ni wedi...	Roedden ni'n...	Roedden ni wedi...	Aethon ni	Byddwn ni'n...	Basen ni'n...
2nd pl	Rydych chi'n...	Rydych chi wedi...	Roeddech chi'n...	Roeddech chi wedi...	Aethoch chi	Byddwch chi'n...	Basech chi'n...
3rd pl	Maen nhw'n...	Maen nhw wedi...	Roedden nhw'n...	Roedden nhw wedi...	Aethon nhw	Byddan nhw'n...	Basen nhw'n...

	Present	Perfect	Imperfect	Past perfect	Past	Future	Conditional
1st sing	Rydw i'n...	Rydw i wedi...	Roeddwn i'n...	Roeddwn i wedi...	Es i allan	Bydda i'n...	Baswn i'n...
2nd sing	Rwyt ti'n...	Rwyt ti wedi...	Roeddet ti'n...	Roeddet ti wedi...	Est ti allan	Byddi di'n...	Baset ti'n...
3rd sing	Mae e'n:o'n / hi'n...	Mae e:o / hi wedi...	Roedd e'n:o'n / hi'n...	Roedd e:o / hi wedi...	Aeth e:o/hi allan	Bydd e'n:o'n / hi'n...	Basai e'n:o'n / hi'n...
1st pl	Rydyn ni'n...	Rydyn ni wedi...	Roedden ni'n...	Roedden ni wedi...	Aethon ni allan	Byddwn ni'n...	Basen ni'n...
2nd pl	Rydych chi'n...	Rydych chi wedi...	Roeddech chi'n...	Roeddech chi wedi...	Aethoch chi allan	Byddwch chi'n...	Basech chi'n...
3rd pl	Maen nhw'n...	Maen nhw wedi...	Roedden nhw'n...	Roedden nhw wedi...	Aethon nhw allan	Byddan nhw'n...	Basen nhw'n...

	Present	Perfect	Imperfect	Past perfect	Past	Future	Conditional
1st sing	Rydw i'n...	Rydw i wedi...	Roeddwn i'n...	Roeddwn i wedi...	Es i am dro	Bydda i'n...	Baswn i'n...
2nd sing	Rwyt ti'n...	Rwyt ti wedi...	Roeddet ti'n...	Roeddet ti wedi...	Aethost /Est ti am dro	Byddi di'n...	Baset ti'n...
3rd sing	Mae e'n:o'n / hi'n...	Mae e:o / hi wedi...	Roedd e'n:o'n / hi'n...	Roedd e:o / hi wedi...	Aeth e:o/hi am dro	Bydd e'n:o'n / hi'n...	Basai e'n:o'n / hi'n...
1st pl	Rydyn ni'n...	Rydyn ni wedi...	Roedden ni'n...	Roedden ni wedi...	Aethon ni am dro	Byddwn ni'n...	Basen ni'n...
2nd pl	Rydych chi'n...	Rydych chi wedi...	Roeddech chi'n...	Roeddech chi wedi...	Aethoch chi am dro	Byddwch chi'n...	Basech chi'n...
3rd pl	Maen nhw'n...	Maen nhw wedi...	Roedden nhw'n...	Roedden nhw wedi...	Aethon nhw am dro	Byddan nhw'n...	Basen nhw'n...

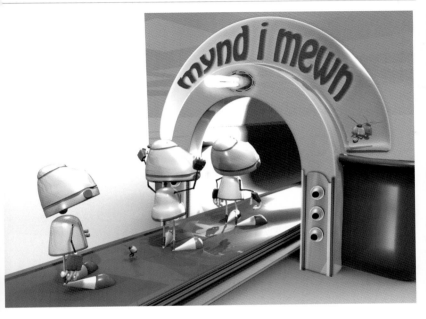

	Present	Perfect	Imperfect	Past perfect	Past	Future	Conditional
1st sing	Rydw i'n...	Rydw i wedi...	Roeddwn i'n...	Roeddwn i wedi...	Es i i mewn	Bydda i'n...	Baswn i'n...
2nd sing	Rwyt ti'n...	Rwyt ti wedi...	Roeddet ti'n...	Roeddet ti wedi...	Aethost/Est ti i mewn	Byddi di'n...	Baset ti'n...
3rd sing	Mae e'n:o'n / hi'n...	Mae e:o / hi wedi...	Roedd e'n:o'n / hi'n...	Roedd e:o / hi wedi...	Aeth e:o/hi i mewn	Bydd e'n:o'n / hi'n...	Basai e'n:o'n / hi'n...
1st pl	Rydyn ni'n...	Rydyn ni wedi...	Roedden ni'n...	Roedden ni wedi...	Aethon ni i mewn	Byddwn ni'n...	Basen ni'n...
2nd pl	Rydych chi'n...	Rydych chi wedi...	Roeddech chi'n...	Roeddech chi wedi...	Aethoch chi i mewn	Byddwch chi'n...	Basech chi'n...
3rd pl	Maen nhw'n...	Maen nhw wedi...	Roedden nhw'n...	Roedden nhw wedi...	Aethon nhw i mewn	Byddan nhw'n...	Basen nhw'n...

	Present	Perfect	Imperfect	Past perfect	Past	Future	Conditional
1st sing	Rydw i'n...	Rydw i wedi...	Roeddwn i'n...	Roeddwn i wedi...	Neidiais i	Bydda i'n...	Baswn i'n...
2nd sing	Rwyt ti'n...	Rwyt ti wedi...	Roeddet ti'n...	Roeddet ti wedi...	Neidiaist ti	Byddi di'n...	Baset ti'n...
3rd sing	Mae e'n:o'n / hi'n...	Mae e:o / hi wedi...	Roedd e'n:o'n / hi'n...	Roedd e:o / hi wedi...	Neidiodd e:o/hi	Bydd e'n:o'n / hi'n...	Basai e'n:o'n / hi'n...
1st pl	Rydyn ni'n...	Rydyn ni wedi...	Roedden ni'n...	Roedden ni wedi...	Neidion ni	Byddwn ni'n...	Basen ni'n...
2nd pl	Rydych chi'n...	Rydych chi wedi...	Roeddech chi'n...	Roeddech chi wedi...	Neidioch chi	Byddwch chi'n...	Basech chi'n...
3rd pl	Maen nhw'n...	Maen nhw wedi...	Roedden nhw'n...	Roedden nhw wedi...	Neidion nhw	Byddan nhw'n...	Basen nhw'n...

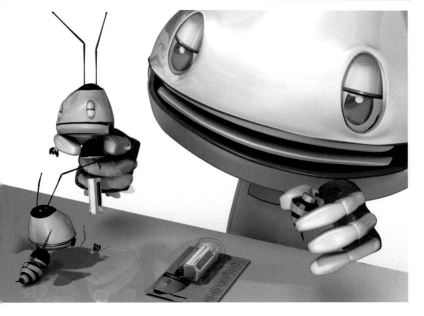

	Present	Perfect	Imperfect	Past perfect	Past	Future	Conditional
1st sing	Rydw i'n...	Rydw i wedi...	Roeddwn i'n...	Roeddwn i wedi...	Newidiais i	Bydda i'n...	Baswn i'n...
2nd sing	Rwyt ti'n...	Rwyt ti wedi...	Roeddet ti'n...	Roeddet ti wedi...	Newidiaist ti	Byddi di'n...	Baset ti'n...
3rd sing	Mae e'n:o'n / hi'n...	Mae e:o / hi wedi...	Roedd e'n:o'n / hi'n...	Roedd e:o / hi wedi...	Newidiodd e:o/hi	Bydd e'n:o'n / hi'n...	Basai e'n:o'n / hi'n...
1st pl	Rydyn ni'n...	Rydyn ni wedi...	Roedden ni'n...	Roedden ni wedi...	Newidion ni	Byddwn ni'n...	Basen ni'n...
2nd pl	Rydych chi'n...	Rydych chi wedi...	Roeddech chi'n...	Roeddech chi wedi...	Newidioch chi	Byddwch chi'n...	Basech chi'n...
3rd pl	Maen nhw'n...	Maen nhw wedi...	Roedden nhw'n...	Roedden nhw wedi...	Newidion nhw	Byddan nhw'n...	Basen nhw'n...

	Present	Perfect	Imperfect	Past perfect	Past	Future	Conditional
1st sing	Rydw i'n...	Rydw i wedi...	Roeddwn i'n...	Roeddwn i wedi...	Nofiais i	Bydda i'n...	Baswn i'n...
2nd sing	Rwyt ti'n...	Rwyt ti wedi...	Roeddet ti'n...	Roeddet ti wedi...	Nofiaist ti	Byddi di'n...	Baset ti'n...
3rd sing	Mae e'n:o'n / hi'n...	Mae e:o / hi wedi...	Roedd e'n:o'n / hi'n...	Roedd e:o / hi wedi...	Nofiodd e:o/hi	Bydd e'n:o'n / hi'n...	Basai e'n:o'n / hi'n...
1st pl	Rydyn ni'n...	Rydyn ni wedi...	Roedden ni'n...	Roedden ni wedi...	Nofion ni	Byddwn ni'n...	Basen ni'n...
2nd pl	Rydych chi'n...	Rydych chi wedi...	Roeddech chi'n...	Roeddech chi wedi...	Nofioch chi	Byddwch chi'n...	Basech chi'n...
3rd pl	Maen nhw'n...	Maen nhw wedi...	Roedden nhw'n...	Roedden nhw wedi...	Nofion nhw	Byddan nhw'n...	Basen nhw'n...

	Present	Perfect	Imperfect	Past perfect	Past	Future	Conditional
1st sing	Rydw i'n...	Rydw i wedi...	Roeddwn i'n...	Roeddwn i wedi...	Peidiais i	Bydda i'n...	Baswn i'n...
2nd sing	Rwyt ti'n...	Rwyt ti wedi...	Roeddet ti'n...	Roeddet ti wedi...	Peidiaist ti	Byddi di'n...	Baset ti'n...
3rd sing	Mae e'n:o'n / hi'n...	Mae e:o / hi wedi...	Roedd e'n:o'n / hi'n...	Roedd e:o / hi wedi...	Peidiodd e:o/hi	Bydd e'n:o'n / hi'n...	Basai e'n:o'n / hi'n...
1st pl	Rydyn ni'n...	Rydyn ni wedi...	Roedden ni'n...	Roedden ni wedi...	Peidion ni	Byddwn ni'n...	Basen ni'n...
2nd pl	Rydych chi'n...	Rydych chi wedi...	Roeddech chi'n...	Roeddech chi wedi...	Peidioch chi	Byddwch chi'n...	Basech chi'n...
3rd pl	Maen nhw'n...	Maen nhw wedi...	Roedden nhw'n...	Roedden nhw wedi...	Peidion nhw	Byddan nhw'n...	Basen nhw'n...

	Present	Perfect	Imperfect	Past perfect	Past	Future	Conditional
1st sing	Rydw i'n...	Rydw i wedi...	Roeddwn i'n...	Roeddwn i wedi...	Peintiais i	Bydda i'n...	Baswn i'n...
2nd sing	Rwyt ti'n...	Rwyt ti wedi...	Roeddet ti'n...	Roeddet ti wedi...	Peintiaist ti	Byddi di'n...	Baset ti'n...
3rd sing	Mae e'n:o'n / hi'n...	Mae e:o / hi wedi...	Roedd e'n:o'n / hi'n...	Roedd e:o / hi wedi...	Peintiodd e:o/hi	Bydd e'n:o'n / hi'n...	Basai e'n:o'n / hi'n...
1st pl	Rydyn ni'n...	Rydyn ni wedi...	Roedden ni'n...	Roedden ni wedi...	Peintion ni	Byddwn ni'n...	Basen ni'n...
2nd pl	Rydych chi'n...	Rydych chi wedi...	Roeddech chi'n...	Roeddech chi wedi...	Peintioch chi	Byddwch chi'n...	Basech chi'n...
3rd pl	Maen nhw'n...	Maen nhw wedi...	Roedden nhw'n...	Roedden nhw wedi...	Peintion nhw	Byddan nhw'n...	Basen nhw'n...

	Present	Perfect	Imperfect	Past perfect	Past	Future	Conditional
st ng	Rydw i'n...	Rydw i wedi...	Roeddwn i'n...	Roeddwn i wedi...	Pender-fynais i	Bydda i'n...	Baswn i'n...
d ng	Rwyt ti'n...	Rwyt ti wedi...	Roeddet ti'n...	Roeddet ti wedi...	Pender-fynaist ti	Byddi di'n...	Baset ti'n...
d ng	Mae e'n:o'n / hi'n...	Mae e:o / hi wedi...	Roedd e'n:o'n / hi'n...	Roedd e:o / hi wedi...	Penderfyn-odd e:o/hi	Bydd e'n:o'n / hi'n...	Basai e'n:o'n / hi'n...
st l	Rydyn ni'n...	Rydyn ni wedi...	Roedden ni'n...	Roedden ni wedi...	Pender-fynon ni	Byddwn ni'n...	Basen ni'n...
d l	Rydych chi'n...	Rydych chi wedi...	Roeddech chi'n...	Roeddech chi wedi...	Pender-fynoch chi	Byddwch chi'n...	Basech chi'n...
d l	Maen nhw'n...	Maen nhw wedi...	Roedden nhw'n...	Roedden nhw wedi...	Penderfynon nhw	Byddan nhw'n...	Basen nhw'n...

priodi...

	Present	Perfect	Imperfect	Past perfect	Past	Future	Conditional
1st sing	Rydw i'n...	Rydw i wedi...	Roeddwn i'n...	Roeddwn i wedi...	Priodais i	Bydda i'n...	Baswn i'n...
2nd sing	Rwyt ti'n...	Rwyt ti wedi...	Roeddet ti'n...	Roeddet ti wedi...	Priodaist ti	Byddi di'n...	Baset ti'n...
3rd sing	Mae e'n:o'n / hi'n...	Mae e:o / hi wedi...	Roedd e'n:o'n / hi'n...	Roedd e:o / hi wedi...	Priododd e:o/hi	Bydd e'n:o'n / hi'n...	Basai e'n:o'r / hi'n...
1st pl	Rydyn ni'n...	Rydyn ni wedi...	Roedden ni'n...	Roedden ni wedi...	Priodon ni	Byddwn ni'n...	Basen ni'n...
2nd pl	Rydych chi'n...	Rydych chi wedi...	Roeddech chi'n...	Roeddech chi wedi...	Priodoch chi	Byddwch chi'n...	Basech chi'n...
3rd pl	Maen nhw'n...	Maen nhw wedi...	Roedden nhw'n...	Roedden nhw wedi...	Priodon nhw	Byddan nhw'n...	Basen nhw'n...

	Present	Perfect	Imperfect	Past perfect	Past	Future	Conditional
st ng	Rydw i'n...	Rydw i wedi...	Roeddwn i'n...	Roeddwn i wedi...	Profais i	Bydda i'n...	Baswn i'n...
nd ng	Rwyt ti'n...	Rwyt ti wedi...	Roeddet ti'n...	Roeddet ti wedi...	Profaist ti	Byddi di'n...	Baset ti'n...
rd ng	Mae e'n:o'n / hi'n...	Mae e:o / hi wedi...	Roedd e'n:o'n / hi'n...	Roedd e:o / hi wedi...	Profodd e:o/hi	Bydd e'n:o'n / hi'n...	Basai e'n:o'n / hi'n...
st l	Rydyn ni'n...	Rydyn ni wedi...	Roedden ni'n...	Roedden ni wedi...	Profon ni	Byddwn ni'n...	Basen ni'n...
ad l	Rydych chi'n...	Rydych chi wedi...	Roeddech chi'n...	Roeddech chi wedi...	Profoch chi	Byddwch chi'n...	Basech chi'n...
rd l	Maen nhw'n...	Maen nhw wedi...	Roedden nhw'n...	Roedden nhw wedi...	Profon nhw	Byddan nhw'n...	Basen nhw'n...

	Present	Perfect	Imperfect	Past perfect	Past	Future	Conditional
1st sing	Rydw i'n...	Rydw i wedi...	Roeddwn i'n...	Roeddwn i wedi...	Prynais i	Bydda i'n...	Baswn i'n...
2nd sing	Rwyt ti'n...	Rwyt ti wedi...	Roeddet ti'n...	Roeddet ti wedi...	Prynaist ti	Byddi di'n...	Baset ti'n...
3rd sing	Mae e'n:o'n / hi'n...	Mae e:o / hi wedi...	Roedd e'n:o'n / hi'n...	Roedd e:o / hi wedi...	Prynodd e:o/hi	Bydd e'n:o'n / hi'n...	Basai e'n:o'n / hi'n...
1st pl	Rydyn ni'n...	Rydyn ni wedi...	Roedden ni'n...	Roedden ni wedi...	Prynon ni	Byddwn ni'n...	Basen ni'n...
2nd pl	Rydych chi'n...	Rydych chi wedi...	Roeddech chi'n...	Roeddech chi wedi...	Prynoch chi	Byddwch chi'n...	Basech chi'n...
3rd pl	Maen nhw'n...	Maen nhw wedi...	Roedden nhw'n...	Roedden nhw wedi...	Prynon nhw	Byddan nhw'n...	Basen nhw'n...

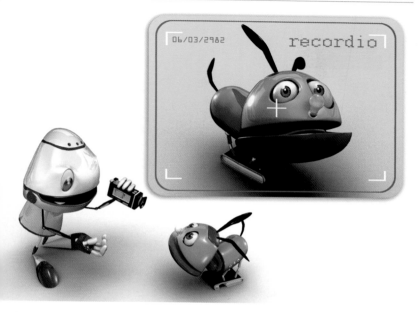

	Present	Perfect	Imperfect	Past perfect	Past	Future	Conditional
1st ing	Rydw i'n...	Rydw i wedi...	Roeddwn i'n...	Roeddwn i wedi...	Recordiais i	Bydda i'n...	Baswn i'n...
2nd ing	Rwyt ti'n...	Rwyt ti wedi...	Roeddet ti'n...	Roeddet ti wedi...	Recordiaist ti	Byddi di'n...	Baset ti'n...
3rd ing	Mae e'n:o'n / hi'n...	Mae e:o / hi wedi...	Roedd e'n:o'n / hi'n...	Roedd e:o / hi wedi...	Recordiodd e:o/hi	Bydd e'n:o'n / hi'n...	Basai e'n:o'n / hi'n...
1st pl	Rydyn ni'n...	Rydyn ni wedi...	Roedden ni'n...	Roedden ni wedi...	Recordion ni	Byddwn ni'n...	Basen ni'n...
2nd pl	Rydych chi'n...	Rydych chi wedi...	Roeddech chi'n...	Roeddech chi wedi...	Recordioch chi	Byddwch chi'n...	Basech chi'n...
3rd pl	Maen nhw'n...	Maen nhw wedi...	Roedden nhw'n...	Roedden nhw wedi...	Recordion nhw	Byddan nhw'n...	Basen nhw'n...

	Present	Perfect	Imperfect	Past perfect	Past	Future	Conditional
1st sing	Rydw i'n...	Rydw i wedi...	Roeddwn i'n...	Roeddwn i wedi...	Rhedais i	Bydda i'n...	Baswn i'n...
2nd sing	Rwyt ti'n...	Rwyt ti wedi...	Roeddet ti'n...	Roeddet ti wedi...	Rhedaist ti	Byddi di'n...	Baset ti'n...
3rd sing	Mae e'n:o'n / hi'n...	Mae e:o / hi wedi...	Roedd e'n:o'n / hi'n...	Roedd e:o / hi wedi...	Rhedodd e:o/hi	Bydd e'n:o'n / hi'n...	Basai e'n:o'n / hi'n...
1st pl	Rydyn ni'n...	Rydyn ni wedi...	Roedden ni'n...	Roedden ni wedi...	Rhedon ni	Byddwn ni'n...	Basen ni'n...
2nd pl	Rydych chi'n...	Rydych chi wedi...	Roeddech chi'n...	Roeddech chi wedi...	Rhedoch chi	Byddwch chi'n...	Basech chi'n...
3rd pl	Maen nhw'n...	Maen nhw wedi...	Roedden nhw'n...	Roedden nhw wedi...	Rhedon nhw	Byddan nhw'n...	Basen nhw'n...

	Present	Perfect	Imperfect	Past perfect	Past	Future	Conditional
1st sing	Rydw i'n...	Rydw i wedi...	Roeddwn i'n...	Roeddwn i wedi...	Rhoddais i	Bydda i'n...	Baswn i'n...
2nd sing	Rwyt ti'n...	Rwyt ti wedi...	Roeddet ti'n...	Roeddet ti wedi...	Rhoddaist ti	Byddi di'n...	Baset ti'n...
3rd sing	Mae e'n:o'n / hi'n...	Mae e:o / hi wedi...	Roedd e'n:o'n / hi'n...	Roedd e:o / hi wedi...	Rhoddodd e:o/hi	Bydd e'n:o'n / hi'n...	Basai e'n:o'n / hi'n...
1st pl	Rydyn ni'n...	Rydyn ni wedi...	Roedden ni'n...	Roedden ni wedi...	Rhoddon ni	Byddwn ni'n...	Basen ni'n...
2nd pl	Rydych chi'n...	Rydych chi wedi...	Roeddech chi'n...	Roeddech chi wedi...	Rhoddoch chi	Byddwch chi'n...	Basech chi'n...
3rd pl	Maen nhw'n...	Maen nhw wedi...	Roedden nhw'n...	Roedden nhw wedi...	Rhoddon nhw	Byddan nhw'n...	Basen nhw'n...

	Present	Perfect	Imperfect	Past perfect	Past	Future	Conditional
1st sing	Rydw i'n...	Rydw i wedi...	Roeddwn i'n...	Roeddwn i wedi...	Sgrechiais i	Bydda i'n...	Baswn i'n...
2nd sing	Rwyt ti'n...	Rwyt ti wedi...	Roeddet ti'n...	Roeddet ti wedi...	Sgrechiaist ti	Byddi di'n...	Baset ti'n...
3rd sing	Mae e'n:o'n / hi'n...	Mae e:o / hi wedi...	Roedd e'n:o'n / hi'n...	Roedd e:o / hi wedi...	Sgrechiodd e:o/hi	Bydd e'n:o'n / hi'n...	Basai e'n:o'n / hi'n...
1st pl	Rydyn ni'n...	Rydyn ni wedi...	Roedden ni'n...	Roedden ni wedi...	Sgrechion ni	Byddwn ni'n...	Basen ni'n...
2nd pl	Rydych chi'n...	Rydych chi wedi...	Roeddech chi'n...	Roeddech chi wedi...	Sgrechioch chi	Byddwch chi'n...	Basech chi'n...
3rd pl	Maen nhw'n...	Maen nhw wedi...	Roedden nhw'n...	Roedden nhw wedi...	Sgrechion nhw	Byddan nhw'n...	Basen nhw'n...

	Present	Perfect	Imperfect	Past perfect	Past	Future	Conditional
1st sing	Rydw i'n...	Rydw i wedi...	Roeddwn i'n...	Roeddwn i wedi...	Siaradais i	Bydda i'n...	Baswn i'n...
2nd sing	Rwyt ti'n...	Rwyt ti wedi...	Roeddet ti'n...	Roeddet ti wedi...	Siaradaist ti	Byddi di'n...	Baset ti'n...
3rd sing	Mae e'n:o'n / hi'n...	Mae e:o / hi wedi...	Roedd e'n:o'n / hi'n...	Roedd e:o / hi wedi...	Siaradodd e:o/hi	Bydd e'n:o'n / hi'n...	Basai e'n:o'n / hi'n...
1st pl	Rydyn ni'n...	Rydyn ni wedi...	Roedden ni'n...	Roedden ni wedi...	Siaradon ni	Byddwn ni'n...	Basen ni'n...
2nd pl	Rydych chi'n...	Rydych chi wedi...	Roeddech chi'n...	Roeddech chi wedi...	Siaradoch chi	Byddwch chi'n...	Basech chi'n...
3rd pl	Maen nhw'n...	Maen nhw wedi...	Roedden nhw'n...	Roedden nhw wedi...	Siaradon nhw	Byddan nhw'n...	Basen nhw'n...

	Present	Perfect	Imperfect	Past perfect	Past	Future	Conditional
1st sing	Rydw i'n...	Rydw i wedi...	Roeddwn i'n...	Roeddwn i wedi...	Syrthiais i	Bydda i'n...	Baswn i'n...
2nd sing	Rwyt ti'n...	Rwyt ti wedi...	Roeddet ti'n...	Roeddet ti wedi...	Syrthiaist ti	Byddi di'n...	Baset ti'n...
3rd sing	Mae e'n:o'n / hi'n...	Mae e:o / hi wedi...	Roedd e'n:o'n / hi'n...	Roedd e:o / hi wedi...	Syrthiodd e:o/hi	Bydd e'n:o'n / hi'n...	Basai e'n:o'n / hi'n...
1st pl	Rydyn ni'n...	Rydyn ni wedi...	Roedden ni'n...	Roedden ni wedi...	Syrthion ni	Byddwn ni'n...	Basen ni'n...
2nd pl	Rydych chi'n...	Rydych chi wedi...	Roeddech chi'n...	Roeddech chi wedi...	Syrthioch chi	Byddwch chi'n...	Basech chi'n...
3rd pl	Maen nhw'n...	Maen nhw wedi...	Roedden nhw'n...	Roedden nhw wedi...	Syrthion nhw	Byddan nhw'n...	Basen nhw'n...

	Present	Perfect	Imperfect	Past perfect	Past	Future	Conditional
1st sing	Rydw i'n...	Rydw i wedi...	Roeddwn i'n...	Roeddwn i wedi...	Talais i	Bydda i'n...	Baswn i'n...
2nd sing	Rwyt ti'n...	Rwyt ti wedi...	Roeddet ti'n...	Roeddet ti wedi...	Talaist ti	Byddi di'n...	Baset ti'n...
3rd sing	Mae e'n:o'n / hi'n...	Mae e:o / hi wedi...	Roedd e'n:o'n / hi'n...	Roedd e:o / hi wedi...	Talodd e:o/hi	Bydd e'n:o'n / hi'n...	Basai e'n:o'n / hi'n...
1st pl	Rydyn ni'n...	Rydyn ni wedi...	Roedden ni'n...	Roedden ni wedi...	Talon ni	Byddwn ni'n...	Basen ni'n...
2nd pl	Rydych chi'n...	Rydych chi wedi...	Roeddech chi'n...	Roeddech chi wedi...	Taloch chi	Byddwch chi'n...	Basech chi'n...
3rd pl	Maen nhw'n...	Maen nhw wedi...	Roedden nhw'n...	Roedden nhw wedi...	Talon nhw	Byddan nhw'dn...	Basen nhw'n...

	Present	Perfect	Imperfect	Past perfect	Past	Future	Conditional
1st sing	Rydw i'n...	Rydw i wedi...	Roeddwn i'n...	Roeddwn i wedi...	Trawais i	Bydda i'n...	Baswn i'n...
2nd sing	Rwyt ti'n...	Rwyt ti wedi...	Roeddet ti'n...	Roeddet ti wedi...	Trawaist ti	Byddi di'n...	Baset ti'n...
3rd sing	Mae e'n:o'n / hi'n...	Mae e:o / hi wedi...	Roedd e'n:o'n / hi'n...	Roedd e:o / hi wedi...	Trawodd e:o/hi	Bydd e'n:o'n / hi'n...	Basai e'n:o'n / hi'n...
1st pl	Rydyn ni'n...	Rydyn ni wedi...	Roedden ni'n...	Roedden ni wedi...	Trawon ni	Byddwn ni'n...	Basen ni'n...
2nd pl	Rydych chi'n...	Rydych chi wedi...	Roeddech chi'n...	Roeddech chi wedi...	Trawoch chi	Byddwch chi'n...	Basech chi'n...
3rd pl	Maen nhw'n...	Maen nhw wedi...	Roedden nhw'n...	Roedden nhw wedi...	Trawon nhw	Byddan nhw'n...	Basen nhw'n...

	Present	Perfect	Imperfect	Past perfect	Past	Future	Conditional
1st sing	Rydw i'n...	Rydw i wedi...	Roeddwn i'n...	Roeddwn i wedi...	Teithiais i	Bydda i'n...	Baswn i'n...
2nd sing	Rwyt ti'n...	Rwyt ti wedi...	Roeddet ti'n...	Roeddet ti wedi...	Teithiaist ti	Byddi di'n...	Baset ti'n...
3rd sing	Mae e:n:o'n / hi'n...	Mae e:o / hi wedi...	Roedd e:n:o'n / hi'n...	Roedd e:o / hi wedi...	Teithiodd e:o/hi	Bydd e:n:o'n / hi'n...	Basai e:n:o'n / hi'n...
1st pl	Rydyn ni'n...	Rydyn ni wedi...	Roedden ni'n...	Roedden ni wedi...	Teithion ni	Byddwn ni'n...	Basen ni'n...
2nd pl	Rydych chi'n...	Rydych chi wedi...	Roeddech chi'n...	Roeddech chi wedi...	Teithioch chi	Byddwch chi'n...	Basech chi'n...
3rd pl	Maen nhw'n...	Maen nhw wedi...	Roedden nhw'n...	Roedden nhw wedi...	Teithion nhw	Byddan nhw'n...	Basen nhw'n...

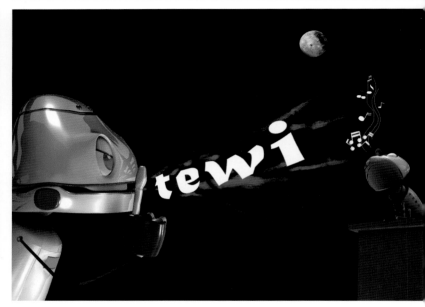

	Present	Perfect	Imperfect	Past perfect	Past	Future	Conditional
1st sing	Rydw i'n...	Rydw i wedi...	Roeddwn i'n...	Roeddwn i wedi...	Tewais i	Bydda i'n...	Baswn i'n...
2nd sing	Rwyt ti'n...	Rwyt ti wedi...	Roeddet ti'n...	Roeddet ti wedi...	Tewaist ti	Byddi di'n...	Baset ti'n...
3rd sing	Mae e'n:o'n / hi'n...	Mae e:o / hi wedi...	Roedd e'n:o'n / hi'n...	Roedd e:o / hi wedi...	Tewodd e:o/hi	Bydd e'n:o'n / hi'n...	Basai e'n:o'n / hi'n...
1st pl	Rydyn ni'n...	Rydyn ni wedi...	Roedden ni'n...	Roedden ni wedi...	Tewon ni	Byddwn ni'n...	Basen ni'n...
2nd pl	Rydych chi'n...	Rydych chi wedi...	Roeddech chi'n...	Roeddech chi wedi...	Tewoch chi	Byddwch chi'n...	Basech chi'n...
3rd pl	Maen nhw'n...	Maen nhw wedi...	Roedden nhw'n...	Roedden nhw wedi...	Tewon nhw	Byddan nhw'n...	Basen nhw'n...

	Present	Perfect	Imperfect	Past perfect	Past	Future	Conditional
1st sing	Rydw i'n...	Rydw i wedi...	Roeddwn i'n...	Roeddwn i wedi...	Torrais i	Bydda i'n...	Baswn i'n...
2nd sing	Rwyt ti'n...	Rwyt ti wedi...	Roeddet ti'n...	Roeddet ti wedi...	Torraist ti	Byddi di'n...	Baset ti'n...
3rd sing	Mae e'n:o'n / hi'n...	Mae e:o / hi wedi...	Roedd e'n:o'n / hi'n...	Roedd e:o / hi wedi...	Torrodd e:o/hi	Bydd e'n:o'n / hi'n...	Basai e'n:o'n / hi'n...
1st pl	Rydyn ni'n...	Rydyn ni wedi...	Roedden ni'n...	Roedden ni wedi...	Torron ni	Byddwn ni'n...	Basen ni'n...
2nd pl	Rydych chi'n...	Rydych chi wedi...	Roeddech chi'n...	Roeddech chi wedi...	Torroch chi	Byddwch chi'n...	Basech chi'n...
3rd pl	Maen nhw'n...	Maen nhw wedi...	Roedden nhw'n...	Roedden nhw wedi...	Torron nhw	Byddan nhw'n...	Basen nhw'n...

	Present	Perfect	Imperfect	Past perfect	Past	Future	Conditional
1st sing	Rydw i'n...	Rydw i wedi...	Roeddwn i'n...	Roeddwn i wedi...	Trefnais i	Bydda i'n...	Baswn i'n...
2nd sing	Rwyt ti'n...	Rwyt ti wedi...	Roeddet ti'n...	Roeddet ti wedi...	Trefnaist ti	Byddi di'n...	Baset ti'n...
3rd sing	Mae e'n:o'n / hi'n...	Mae e:o / hi wedi...	Roedd e'n:o'n / hi'n...	Roedd e:o / hi wedi...	Trefnodd e:o/hi	Bydd e'n:o'n / hi'n...	Basai e'n:o'n / hi'n...
1st pl	Rydyn ni'n...	Rydyn ni wedi...	Roedden ni'n...	Roedden ni wedi...	Trefnon ni	Byddwn ni'n...	Basen ni'n...
2nd pl	Rydych chi'n...	Rydych chi wedi...	Roeddech chi'n...	Roeddech chi wedi...	Trefnoch chi	Byddwch chi'n...	Basech chi'n...
3rd pl	Maen nhw'n...	Maen nhw wedi...	Roedden nhw'n...	Roedden nhw wedi...	Trefnon nhw	Byddan nhw'n...	Basen nhw'n...

	Present	Perfect	Imperfect	Past perfect	Past	Future	Conditional
1st sing	Rydw i'n...	Rydw i wedi...	Roeddwn i'n...	Roeddwn i wedi...	Trois i	Bydda i'n...	Baswn i'n...
2nd sing	Rwyt ti'n...	Rwyt ti wedi...	Roeddet ti'n...	Roeddet ti wedi...	Troist ti	Byddi di'n...	Baset ti'n...
3rd sing	Mae e'n:o'n / hi'n...	Mae e:o / hi wedi...	Roedd e'n:o'n / hi'n...	Roedd e:o / hi wedi...	Trodd e:o/hi	Bydd e'n:o'n / hi'n...	Basai e'n:o'n / hi'n...
1st pl	Rydyn ni'n...	Rydyn ni wedi...	Roedden ni'n...	Roedden ni wedi...	Troeson ni	Byddwn ni'n...	Basen ni'n...
2nd pl	Rydych chi'n...	Rydych chi wedi...	Roeddech chi'n...	Roeddech chi wedi...	Troesoch chi	Byddwch chi'n...	Basech chi'n...
3rd pl	Maen nhw'n...	Maen nhw wedi...	Roedden nhw'n...	Roedden nhw wedi...	Troeson nhw	Byddan nhw'n...	Basen nhw'n...

	Present	Perfect	Imperfect	Past perfect	Past	Future	Conditional
1st sing	Rydw i'n...	Rydw i wedi...	Roeddwn i'n...	Roeddwn i wedi...	Tyfais i	Bydda i'n...	Baswn i'n...
2nd sing	Rwyt ti'n...	Rwyt ti wedi...	Roeddet ti'n...	Roeddet ti wedi...	Tyfaist ti	Byddi di'n...	Baset ti'n...
3rd sing	Mae e'n:o'n / hi'n...	Mae e:o / hi wedi...	Roedd e'n:o'n / hi'n...	Roedd e:o / hi wedi...	Tyfodd e:o/hi	Bydd e'n:o'n / hi'n...	Basai e'n:o'n / hi'n...
1st pl	Rydyn ni'n...	Rydyn ni wedi...	Roedden ni'n...	Roedden ni wedi...	Tyfon ni	Byddwn ni'n...	Basen ni'n...
2nd pl	Rydych chi'n...	Rydych chi wedi...	Roeddech chi'n...	Roeddech chi wedi...	Tyfoch chi	Byddwch chi'n...	Basech chi'n...
3rd pl	Maen nhw'n...	Maen nhw wedi...	Roedden nhw'n...	Roedden nhw wedi...	Tyfon nhw	Byddan nhw'n...	Basen nhw'n...

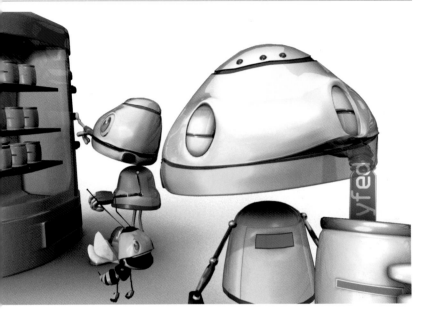

	Present	Perfect	Imperfect	Past perfect	Past	Future	Conditional
1st sing	Rydw i'n...	Rydw i wedi...	Roeddwn i'n...	Roeddwn i wedi...	Yfais i	Bydda i'n...	Baswn i'n...
2nd sing	Rwyt ti'n...	Rwyt ti wedi...	Roeddet ti'n...	Roeddet ti wedi...	Yfaist ti	Byddi di'n...	Baset ti'n...
3rd sing	Mae e'n:o'n / hi'n...	Mae e:o / hi wedi...	Roedd e'n:o'n / hi'n...	Roedd e:o / hi wedi...	Yfodd e:o/hi	Bydd e'n:o'n / hi'n...	Basai e'n:o'n / hi'n...
1st pl	Rydyn ni'n...	Rydyn ni wedi...	Roedden ni'n...	Roedden ni wedi...	Yfon ni	Byddwn ni'n...	Basen ni'n...
2nd pl	Rydych chi'n...	Rydych chi wedi...	Roeddech chi'n...	Roeddech chi wedi...	Yfoch chi	Byddwch chi'n...	Basech chi'n...
3rd pl	Maen nhw'n...	Maen nhw wedi...	Roedden nhw'n...	Roedden nhw wedi...	Yfon nhw	Byddan nhw'n...	Basen nhw'n...

	Present	Perfect	Imperfect	Past perfect	Past	Future	Conditional
1st sing	Rydw i'n...	Rydw i wedi...	Roeddwn i'n...	Roeddwn i wedi...	Ymladdais i	Bydda i'n...	Baswn i'n...
2nd sing	Rwyt ti'n...	Rwyt ti wedi...	Roeddet ti'n...	Roeddet ti wedi...	Ymladdaist ti	Byddi di'n...	Baset ti'n...
3rd sing	Mae e'n:o'n / hi'n...	Mae e:o / hi wedi...	Roedd e'n:o'n / hi'n...	Roedd e:o / hi wedi...	Ymladdodd e:o/hi	Bydd e'n:o'n / hi'n...	Basai e'n:o'n / hi'n...
1st pl	Rydyn ni'n...	Rydyn ni wedi...	Roedden ni'n...	Roedden ni wedi...	Ymladdon ni	Byddwn ni'n...	Basen ni'n...
2nd pl	Rydych chi'n...	Rydych chi wedi...	Roeddech chi'n...	Roeddech chi wedi...	Ymladdoch chi	Byddwch chi'n...	Basech chi'n...
3rd pl	Maen nhw'n...	Maen nhw wedi...	Roedden nhw'n...	Roedden nhw wedi...	Ymladdon nhw	Byddan nhw'n...	Basen nhw'n...

	Present	Perfect	Imperfect	Past perfect	Past	Future	Conditional
st ng	Rydw i'n...	Rydw i wedi...	Roeddwn i'n...	Roeddwn i wedi...	Ysgrifen-nais i	Bydda i'n...	Baswn i'n...
nd ng	Rwyt ti'n...	Rwyt ti wedi...	Roeddet ti'n...	Roeddet ti wedi...	Ysgrifen-naist ti	Byddi di'n...	Baset ti'n...
rd ng	Mae e'n:o'n / hi'n...	Mae e:o / hi wedi...	Roedd e'n:o'n / hi'n...	Roedd e:o / hi wedi...	Ysgrifennodd e:o/hi	Bydd e'n:o'n / hi'n...	Basai e'n:o'n / hi'n...
st ɔl	Rydyn ni'n...	Rydyn ni wedi...	Roedden ni'n...	Roedden ni wedi...	Ysgrifennon ni	Byddwn ni'n...	Basen ni'n...
nd ɔl	Rydych chi'n...	Rydych chi wedi...	Roeddech chi'n...	Roeddech chi wedi...	Ysgrifennoch chi	Byddwch chi'n...	Basech chi'n...
rd ɔl	Maen nhw'n...	Maen nhw wedi...	Roedden nhw'n...	Roedden nhw wedi...	Ysgrifennon nhw	Byddan nhw'n...	Basen nhw'n...

index

index

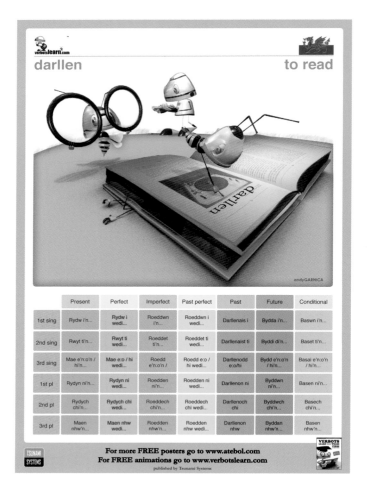

darllen — **to read**

	Present	Perfect	Imperfect	Past perfect	Past	Future	Conditional
1st sing	Rydw i'n...	Rydw i wedi...	Roeddwn i'n...	Roeddwn i wedi...	Darllenais i	Bydda i'n...	Baswn i'n...
2nd sing	Rwyt ti'n...	Rwyt ti wedi...	Roeddet ti'n...	Roeddet ti wedi...	Darllenaist ti	Byddi di'n...	Baset ti'n...
3rd sing	Mae e'n:o'n / hi'n...	Mae e:ɔ / hi wedi...	Roedd e'n:o'n /	Roedd e:ɔ / hi wedi...	Darllenodd e:ɔ/hi	Bydd e'n:o'n / hi'n...	Basai e'n:o'n / hi'n...
1st pl	Rydyn ni'n...	Rydyn ni wedi...	Roedden ni'n...	Roedden ni wedi...	Darllenon ni	Byddwn ni'n...	Basen ni'n...
2nd pl	Rydych chi'n...	Rydych chi wedi...	Roeddech chi'n...	Roeddech chi wedi...	Darllenoch chi	Byddwch chi'n...	Basech chi'n...
3rd pl	Maen nhw'n...	Maen nhw wedi...	Roedden nhw'n...	Roedden nhw wedi...	Darllenon nhw	Byddan nhw'n...	Basen nhw'n...

andyGARNICA

www.atebol.com

ABOUT THE AUTHOR

Rory Ryder created the idea and concept of VERBOTS LEARN after finding most verb books time consuming and outdated. Most of the people he spoke to, found it very frustrating trying to remember the verbs and conjugations simply by repetition. He decided to develop a book that makes it easy to remember the key verbs and conjugations but which is also fun and very simple to use. Inspired by Barcelona, where he now lives, he spends the majority of his time working on new and innovative ideas.